WAS IST WAS · BAND 6 · Die Sterne

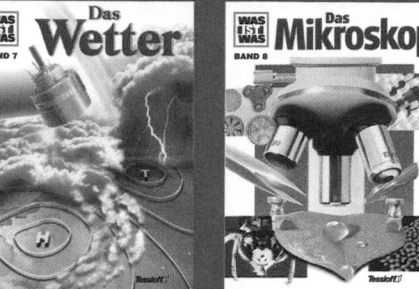
WAS IST WAS · BAND 7 · Das Wetter

WAS IST WAS · BAND 8 · Das Mikroskop

WAS IST WAS · BAND 9 · Der Urmensch

Fliegerei und ...unde

D0190254

WAS IST WAS · BAND 19 · Bienen und Ameisen

WAS IST WAS · BAND 20 · Reptilien und Amphibien

WAS IST WAS · BAND 21 · Der Mond

WAS IST WAS · BAND 22 · Die Zeit

WAS IST WAS · BAND 24 · Elektrizität

WAS IST WAS · BAND 25 · Schiffe

WAS IST WAS · BAND 34 · Wüsten

WAS IST WAS · BAND 35 · Erfindungen die unsere Welt veränderten

WAS IST WAS · BAND 36 · Polargebiete

WAS IST WAS · BAND 37 · Computer und Roboter

WAS IST WAS · BAND 38 · Säugetiere der Vorzeit

WAS IST WAS · BAND 39 · Magnetismus

WAS IST WAS · BAND 46 · Mechanik

WAS IST WAS · BAND 47 · Elektronik

WAS IST WAS · BAND 48 · Luft und Wasser

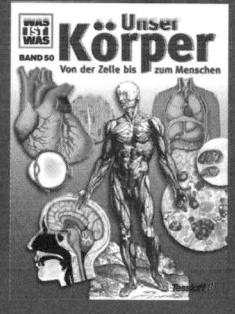
WAS IST WAS · BAND 50 · Unser Körper Von der Zelle bis zum Menschen

WAS IST WAS · BAND 52 · Briefmarken

WAS IST WAS · BAND 53 · Das Auto

WAS IST WAS · BAND 60 · Die Kreuzzüge

WAS IST WAS · BAND 61 · Pyramiden

WAS IST WAS · BAND 62 · Die Germanen

WAS IST WAS · BAND 64 · Die alten Griechen

WAS IST WAS · BAND 65 · Die Eiszeit

WAS IST WAS · BAND 66 · Berühmte Ärzte

WAS IST WAS · BAND 74 · Naturkatastrophen

WAS IST WAS · BAND 75 · Fahnen und Flaggen

WAS IST WAS · BAND 76 · Die Sonne

WAS IST WAS · BAND 77 · Tierwanderungen

WAS IST WAS · BAND 78 · Geld

Weitere Titel siehe letzte Seite.

Ein  Buch

Das alte Ägypten

Von Dieter Kurth
Illustriert von Jörn Hennig und Frank Kliemt

Im „Paradies" der alten Ägypter: Sennedjem und seine Frau pflügen und säen in blühender Landschaft. (Theben, 19. Dynastie)

Tessloff Verlag

Vorwort

Das alte Ägypten und seine Monumente sind schon seit sehr langer Zeit berühmt. So schreibt der griechische Schriftsteller Herodot, der vor etwa 2500 Jahren durch Ägypten reiste: „Jetzt beginne ich, ausführlicher über Ägypten zu berichten, weil dort sehr viele erstaunliche Dinge geschaffen wurden, die so enorm sind, dass man sie kaum schildern und mit irgendeinem anderen Land vergleichen kann".

Nicht weniger staunen die Touristen, die heutzutage in das Land am Nil kommen. Sie bewundern die gewaltigen Pyramiden, die mit Hieroglyphen übersäten Wände der großen Tempel, die riesigen Statuen, die bunten Malereien in den Gräbern, die Mumien, die nahezu unbeschädigt aufgefundenen Schiffe, Streitwagen, Möbel, Spiele, Werkzeuge und vieles andere mehr.

Über all dies weiß man bereits sehr viel. Es gibt sogar eine Wissenschaft, die sich speziell mit dem alten Ägypten beschäftigt, die Ägyptologie. Doch auch den Ägyptologen ist es nicht gelungen, alle Geheimnisse des Pharaonenreiches aufzudecken, und so wartet noch manches Rätsel auf den Forscher, der es lösen kann.

Dieses WAS IST WAS-Buch berichtet von den Menschen, die vor etwa 5000 Jahren am Unterlauf des Nils einen Staat gründeten, der fast drei Jahrtausende fortbestand. Zahlreiche Originalfunde aus dieser langen Zeit erscheinen vor unseren Augen, und viele Inschriften sprechen zu uns in wörtlicher Übersetzung. Sie werden eine Antwort auf die beiden Fragen geben: Wie lebten die Ägypter zur Zeit der Pharaonen? Was bedeutet das alte Ägypten für die Geschichte der Menschheit?

BAND 70

BILDQUELLENNACHWEIS

FOTOS: AKG Photo, Berlin: S.2, 7ul, 9ol, 10mr, 13ol, 13ur, 16o, 17, 20, 21, 22u, 25, 27ol, 33or, 34, 35u, 37ol, 41o, 42, 44u, 47ol, 47ur; Archiv des Autors: S.1, 3, 70, 7ur, 100, 14, 18l, 18or, 19o, 26ml, 27m, 27u, 33mr, 38m, 41u; Bildarchiv Preussischer Kulturbesitz: S.9mr, 35o, 37om, 40; British Museum, London: S.36, 39 Christian Bayer, Münster: S.5ul; dpa: S.15u; Jürgen Liepe, Berlin: S.11, 24o, 24ul, 26, 29or, 31, 37or; Kestner-Museum, Hannover: S.47ml; Könemann Verlagsgesellschaft, Köln: S.5mr, 8u, 12m;

ILLUSTRATIONEN: Frank Kliemt, Hamburg: S.4u, 6, 8o, 12lo, 22m, 23, 28o, 30, 32ol, 38o, 43, 44ol, 44or, 45o, 46o, 46ur; Jörn Hennig, Berlin: S.40, 19u, 28u, 32u;

ISBN 3-7886-0410-7

Ein in Karnak ausgegrabener Steinblock, der darauf wartet, von den Ägyptologen genauer bestimmt zu werden.

Inhalt

Die drei großen Pyramiden von Gisa während der Zeit der Überschwemmung.

Ägypten, ein Geschenk des Nils

Die meisten Menschen denken beim Stichwort „Ägypten" an Pyramiden, Mumien und Hieroglyphen, manche auch an Obelisken, den Nil, Nilpferde, Krokodile oder sogar an die Königin Kleopatra. Sicher, das alles gehört zu Ägypten und vieles andere, wovon dieses Buch erzählen wird. Zuerst aber müssen wir einiges über den Nil erfahren, denn ohne das Wasser dieses Flusses hätte es das Reich der Pharaonen nie gegeben.

Unsere Landwirtschaft braucht genügend Regen, wenn es eine gute Ernte geben soll. Der ägyptische Bauer jedoch wartete nicht auf den Regen für seine Felder, denn es reg-

Was bedeutete der Nil für das alte Ägypten?

nete viel zu selten. Statt dessen hoffte er jedes Jahr darauf, dass die Nilüberschwemmung die richtige Höhe erreichte, um seine Felder zu bewässern. Alljährlich, etwa ab Mitte Juni, begann nämlich das Wasser des Nils langsam anzusteigen. Nach und nach schwoll der Fluss mächtig an, und seine Flut erreichte

DIE NILFLUT

Die Ägypter erkannten, dass die jährliche Nilflut ungefähr dann kommt, wenn der Stern Sothis (auch: Sirius) nach langer Zeit der Unsichtbarkeit wieder am Himmel erscheint. Das geschieht etwa Mitte Juli, in der Morgendämmerung.

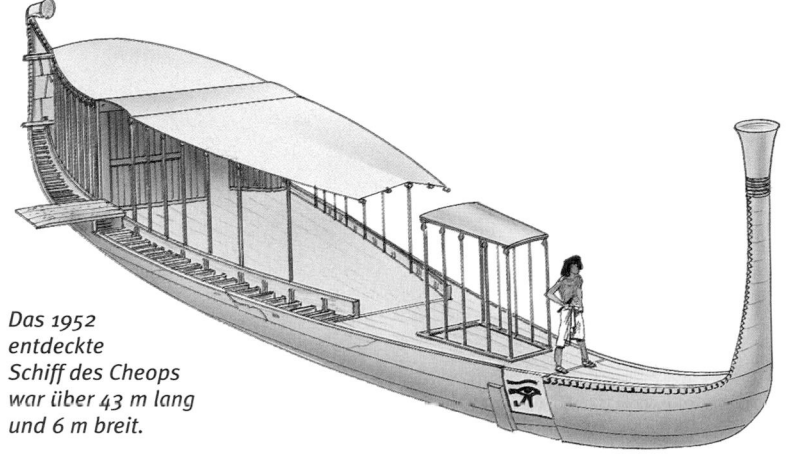

Das 1952 entdeckte Schiff des Cheops war über 43 m lang und 6 m breit.

ihren Höhepunkt im September. Dann war das Niltal überschwemmt, und die Siedlungen der Menschen ragten wie Inseln aus dem Wasser. Wenn sich die Wassermassen zurückzogen, ließen sie einen schwarzen Schlamm zurück. Dieser war reich an Nährstoffen und bewirkte, dass die Saat gut aufging, prächtig gedieh und reiche Ernte brachte.

Die reichen Ernten gab es aber nur, wenn die Bauern ihre Äcker richtig bestellten. Wie man das machte, das hatten die Begabten unter ihnen im Laufe der Zeit gelernt, und ihr Lehrmeister war der Nil. Bald hatten die Bauern bemerkt, dass das Wasser eine bestimmte Zeit auf den Äckern stehen musste, damit sich der fruchtbare Schlamm ablagern konnte. Anschließend war es wichtig, dass sie das restliche Wasser wieder in den Nil zurückleiteten. Wenn sie den Ernteertrag vergrößern wollten, mussten sie Flutwasser abzweigen und auf höheres Gelände fließen lassen, welches die Nilflut von sich aus nicht mehr erreichte. So lernten die Bauern, Kanäle zu graben und Bassins anzulegen. Auch erfanden sie Vorrichtungen und Geräte, mit deren Hilfe sie das Wasser absperren und regulieren oder auf höheres Gelände heben konnten.

Der große Fluss regte die Intelligenz dieser Menschen an, weiteres zu erfinden und zu entdecken. Sie fanden heraus, dass sie das Kommen der Nilüberschwemmung vorhersagen konnten, wenn sie den Lauf der Sterne genau beobachteten; dabei gelangten sie zu wichtigen astronomischen Erkenntnissen. Die Lage und die Größe der Felder waren abhängig von der Höhe der Nilflut. So mussten die Felder jedes Jahr aufs Neue vermessen werden, um den

Ernteertrag und die Abgaben zu berechnen; weil die Ägypter dabei klug und planvoll vorgingen, schufen sie die Grundlagen der Geometrie.

Wer den breiten Hauptstrom des Nils oder seine Nebenarme überqueren musste, der empfand den Fluss vor allem als Hindernis. Für denjenigen aber, der flussauf oder flussab fahren konnte, war der Nil ein günstiger Verkehrsweg, um größere Entfernungen zurückzulegen oder um schwere Lasten zu transportieren. Aus beiden Gründen begannen die Bewohner des Niltales sehr früh damit, Schiffe zu bauen. Sie entwickelten verschiedene Schiffstypen, je nachdem, wozu sie dienen sollten, und so wurden die Ägypter bald wahre Meister des Schiffbaus.

Ein Gärtner schöpft Wasser mit dem Schadûf. (19. Dyn., Theben-West.)

Die Bewohner des Niltals lernten also, den Fluss zu beherrschen. Dabei war es vor allem die jährliche Überschwemmung des Landes, die ihr Denken anregte und leitete. Schon die alten Ägypter stellten sich die Frage, woher die Wassermassen der jährlichen Nilflut kommen, doch sie fanden nicht die richtige Antwort. Wir wissen heute,

Woher kommt das Wasser der Nilflut?

DAS SCHADÛF

Um das Wasser auf höheres Gelände zu heben, benutzte man seit dem Neuen Reich das Schadûf. Dieses Gerät besteht aus einem Pfosten, einer Querstange, einem Strick, einem Eimer und einem Gegengewicht. Es funktioniert wie ein Ziehbrunnen und wurde vor allem zur Bewässerung der Gärten eingesetzt. Das Schadûf ist noch heute im Gebrauch und hat seine Form in den vergangenen 3300 Jahren kaum verändert.

Auch heute noch arbeiten ägyptische Bauern mit dem Schadûf.

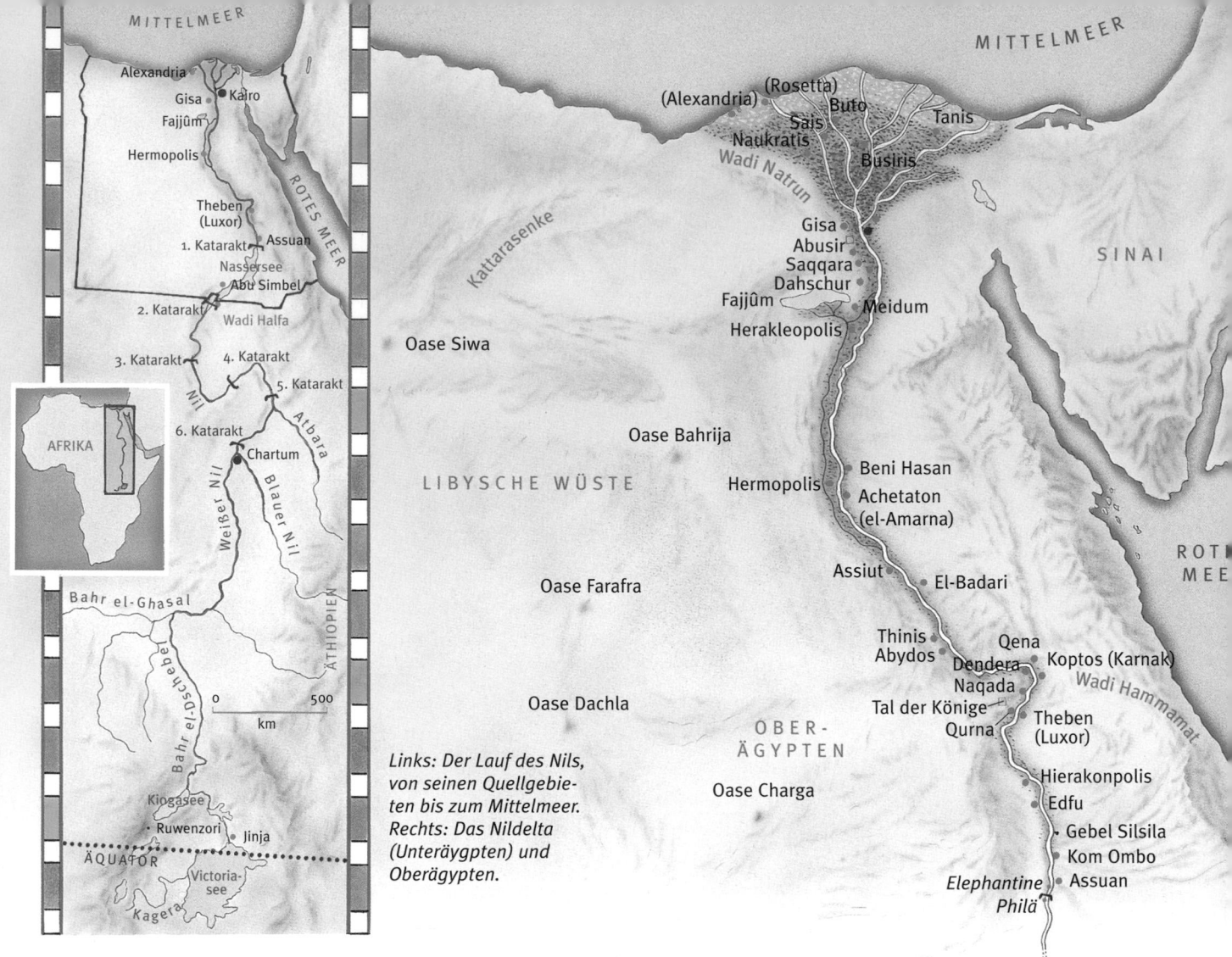

Links: Der Lauf des Nils, von seinen Quellgebieten bis zum Mittelmeer. Rechts: Das Nildelta (Unterägypten) und Oberägypten.

dass der Nil sein Wasser von weit her transportiert, aus zwei großen Gebieten im Inneren Afrikas. Das eine ist das Hochland von Äthiopien, das die zahlreichen Quellflüsse des Blauen Nils speist. Das andere Gebiet reicht von den Gebirgen um den Viktoria-See bis zu den großen Sümpfen im südlichen Sudan; von hier bezieht der Weiße Nil sein Wasser.

Den normalen Wasserstand liefert vor allem der Weiße Nil, weil es in seinem Einzugsbereich im Frühjahr und im Sommer reichlich regnet. Die Überschwemmung jedoch bringt hauptsächlich der Blaue Nil. Er führt nämlich die riesigen Wassermengen nach Norden, die im Sommer als Monsunregen in den Bergen Äthiopiens niedergehen.

Durch welche Gebiete fließt der Nil?

Die Quellgebiete des Weißen Nils liegen in der Nähe des Äquators, in den heutigen Staaten Tansania, Burundi, Ruanda, Kenia, Uganda und Sudan. Der Blaue Nil kommt aus den Gebirgen Äthiopiens. Beide Flüsse vereinen sich bei Chartum, der Hauptstadt des Sudan. Etwa 350 km nördlich von Chartum mündet der Atbara in den Nil, und er wird sein einziger Nebenfluss bleiben. Der Atbara entspringt wie der Blaue Nil im äthiopischen Hochland. Im Sommer bringt auch er das Wasser des Monsunregens ins Niltal und trägt damit zur jährlichen Überschwemmung bei.

DIE OASEN der libyschen Wüste wurden zum Teil schon seit dem Alten Reich von Ägypten aus verwaltet. Jede von ihnen liegt in einer ausgedehnten Landsenke und besitzt viele Quellen, die entweder natürlich entstanden sind oder von Menschen geöffnet wurden. Bei den Quellen ist Leben möglich, inmitten der lebensfeindlichen Wüste. Die größten Oasen sind Charga, Dachla, Bahrija, Siwa und das Fajjûm.

Granitfelsen des 1. Kataraktes bei Assuan.

Abu Simbel

Die steigenden Fluten des Stausees bedrohten viele Tempel und Gräber. Gerettet wurden die beiden Tempel von Abu Simbel, indem man sie mit Steinsägen zerlegte und die Blöcke 64 m oberhalb und 180 m landeinwärts wieder zusammensetzte. Dabei sind etwa 20000 t Stein bewegt worden. Das Unternehmen kostete 42 Millionen Dollar und wurde in internationaler Zusammenarbeit durchgeführt.

Von nun an zieht der mächtige Strom einsam nach Norden. Er durchquert die heißen Savannen und Halbwüsten des Sudan, ohne dass ein Nebenfluss die beträchtliche Verdunstung seines Wassers ausgleicht. Ingesamt sechs Katarakte legen sich in seinen Weg, Stromschnellen, die sein Wasser schneller und wilder fließen lassen. Den sechsten Katarakt erreicht er gleich hinter Chartum, den fünften nach der Mündung des Atbara, den vierten dort, wo er seinen Lauf nach Südwesten gewendet hat, und den dritten bald, nachdem er wieder nach Norden fließt.

Beim zweiten Katarakt trifft der Nil auf eine gewaltige Barriere. Felsen aus Granit und Grauwacke hemmen den Lauf des Flusses auf einer Länge von etwa 100 km. Das Wasser umspült die Felsen und zerteilt sich dabei in viele gewundene Passagen und Rinnsale. Seichte Stellen wechseln mit tiefen, träge Strömung mit reißender. Dieser Katarakt ist für die Schifffahrt ein kaum zu überwindendes Hindernis. Hier verlässt der Nil den Sudan und erreicht das Gebiet des heutigen Staates Ägypten.

Noch 300 km, und der Fluss muss die Granitfelsen des 1. Kataraktes bei Assuan überwinden, dort wo heute der große Damm den Nil zum ca. 500 km langen „Nassersee" aufstaut. Hinter dem Damm zieht der regulierte Fluss nun ohne seine jährliche Flut durch Oberägypten, begleitet von Randgebirgen, die manchmal bis nahe an das Ufer herankommen, manchmal auch zurückweichen und Randstreifen oder größere Ebenen öffnen. Dahinter erstreckt sich im Osten die Arabische Wüste, im Westen die Libysche Wüste mit ihren Oasen.

Nördlich von Assiut zweigt der Bahr el-Jusuf, der Josephs-Fluss, nach Westen ab und leitet einen Teil des Nilwassers in die Oase Fajjûm. Hinter Kairo teilt sich der Nil in mehrere Arme, deren Wasser sich nach über 200 km ins Mittelmeer ergießt. Die Nilarme begrenzen das Nildelta, das sich mit seinem breiten Fruchtland deutlich vom schmalen oberägyptischen Niltal unterscheidet. – Von den Quellflüssen des Kagera in Burundi hat der Nil bis zum Mittelmeer eine Strecke von über 6600 km zurückgelegt.

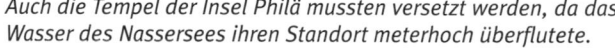

Baumaterialien lagern vor dem großen Felstempel von Abu Simbel, dessen Fassade vier je 20 m hohe Sitzfiguren Ramses' II. beherrschen.

Auch die Tempel der Insel Philä mussten versetzt werden, da das Wasser des Nassersees ihren Standort meterhoch überflutete.

Die lange Geschichte der Pharaonen

Was war vor den Pharaonen?

Der erste Pharao hat das altägyptische Reich keineswegs aus dem Nichts erschaffen. Jahrtausende vor ihm haben bereits Menschen im Niltal gelebt, und erst ihre Erfindungen haben es möglich gemacht, dort dauerhaft zu wohnen.

Bis etwa 25000 Jahre vor Christi Geburt war die heutige Wüste Sahara noch ein gut bewohnbares Gebiet, in dem Nomaden als Jäger und Sammler lebten. In den folgenden Jahrtausenden trocknete die Sahara aber mehr und mehr aus. Das zwang die Menschen, in günstigere Regionen zu wandern, und sie zogen zum Niltal. Nach etwa 10000 Jahren wurde das Klima wieder feuchter, und die Menschen bevorzugten die Hochebenen am Rande des Niltals; denn das Niltal selbst war nun kein guter Lebensraum mehr, wegen des hohen Wasserspiegels. Im 7. und 6. Jahrtausend begannen die Randgebiete erneut auszutrocknen. Etwa um 5000 v. Chr. zogen wie-

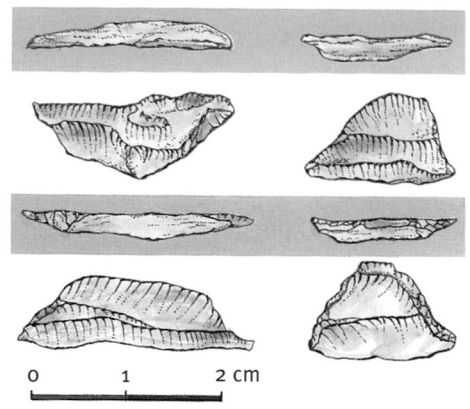

Kleine Klingen aus Feuerstein, die als Schneiden für Werkzeuge und Waffen verwendet wurden. Um 11000 v. Chr.

der Menschen in das Niltal und lernten, mit dem großen Fluss zu leben. Die Epoche der Jungsteinzeit begann. Sesshafte Menschen siedelten in Dörfern und ernährten sich von Landwirtschaft und Viehhaltung. Sie züchteten die wichtigsten Kulturpflanzen, Emmer und Gerste als Getreide, Linsen und Kichererbsen als Hülsenfrüchte, Lattich und Zwiebeln als Gemüse und viele andere.

In dieser frühen Zeit begannen die Bewohner des Niltals bereits mit der Viehzucht. Sie hielten Rinder, Ziegen, Schafe, Esel und Schweine,

NILPFERDJAGD

Die Spitze einer Harpune bestand aus Knochen oder Metall. Sie wurde mit einer Leine verbunden und vorne auf einen langen hölzernen Schaft gesteckt. Die Leine hielt der Jäger in der Hand, wenn er die Waffe auf das Nilpferd warf. Beim Treffer drang die Harpunenspitze in den Körper ein und löste sich vom Schaft. Auch wenn der Jäger die Leine loslassen musste, konnte das Tier sich nicht durch Untertauchen retten; denn die Schwimmer an den Leinenenden zeigten dem Jäger, wo es war. Das durch Blutverlust geschwächte Nilpferd wurde mit langen Lanzen getötet.

Nilpferdjagd im Papyrusdickicht. Die Jäger stehen in flachen Papyrusflößen und schleudern Harpunen auf die Nilpferde.

Schminkpalette des Königs Narmer.

SCHMINKPALETTEN dienten dazu, Augenschminke anzureiben. Diejenige des Narmer zeigt oben zweimal die kuhköpfige Göttin Hathor. Darunter erschlägt der König einen Feind. Narmer trägt die oberägyptische Krone und den kurzen Schurz mit angebundenem Stierschwanz. Vor Narmer hält ein Falke einen Feind am Strick. Der Falke ist Horus, der den siegreichen ägyptischen König verkörpert.

AUSGRABUNGEN

Die Archäologen haben etliche Siedlungen aus der Zeit vor den Pharaonen ausgegraben. Sie fanden ovale oder runde Hütten aus Holz und Schilfrohr, mit Korbgeflecht ausgekleidete Gruben für Vorräte, Werkzeuge aus Holz, Feuerstein und Kupfer, Pfeilspitzen aus Feuerstein und steinerne Keulenköpfe, aus Knochen gefertigte Harpunen, Angelhaken und sehr viel Keramik, also aus Ton gebrannte Gefäße, teils ohne, teils mit Verzierungen. Leder, Felle und gewebte Tücher dienten zur Bekleidung.

aber auch Geflügel, wie z. B. Gänse. Daneben spielte die Jagd eine wichtige Rolle. Man jagte Wild auf den Hochebenen am Rande des Niltals, fing Vögel und fischte im großen Fluss sowie in den Sumpfgebieten des Deltas. Die Jäger schreckten auch nicht davor zurück, das Nilpferd zu jagen, was wegen der Größe und Kraft dieses Tieres sehr gefährlich war.

Nicht nur von Westen her sind Menschen in das Niltal eingewandert, sondern auch vom Süden und vom Nordosten, also von Vorderasien. Sie alle haben die Beziehungen zu den Gebieten ihrer Herkunft nicht abreißen lassen, und so gelangten neben Handelswaren auch viele unterschiedliche Ideen und Erfindungen nach Ägypten. Was dort zusammentraf, vermischte sich. Man darf vermuten, dass diese Mischung die Kultur des alten Ägypten gefördert und geprägt hat. Daran hatte besonders Vorderasien einen großen Anteil.

Schon um 3200 v. Chr. gelingt es einigen lokalen Häuptlingen, im Nildelta und in Oberägypten größere Gebiete unter ihre Herrschaft zu bringen. Aus diesen entstehen ein unterägyptisches und ein oberägyptisches Königreich.

| **Wer begründete das Reich der Pharaonen?** |

Einer der Könige, die bereits um 3100 v. Chr. zeitweilig über beide Reiche herrschen, ist Narmer. Um 3000 v. Chr. werden die beiden Königreiche nach langen Kämpfen um die Vorherrschaft endgültig vereinigt. Den militärischen Sieg erringt ein oberägyptischer König, kulturell bleibt jedoch das unterägyptische Reich überlegen. Als ersten Herrscher über ganz Ägypten nennen die

erhaltenen Königslisten Menes (anderer Name: Aha).

Mit ihm beginnt die *1. Dynastie*. Er gründet an der Grenze zwischen Ober- und Unterägypten die Festung „Weiße Mauer", die später

Ein Tongefäß (um 3300 v. Chr.). Die Bemalung zeigt ein Boot mit vielen Rudern, zwei Kajüten und Standarte, darüber Tiere und eine tanzende(?) Frau.

Memphis genannt wird. Auf Menes folgen, unter anderen, Könige mit den Namen Djer und Wadj, in der *2. Dynastie* Könige mit den Namen Ninetjer und Chasechemui. Die beiden ersten Dynastien nennen wir die Frühzeit des altägyptischen Staates. Ihre Könige sichern Ägypten gegen äußere und innere Feinde, richten eine zentrale Verwaltung ein und handeln bereits mit Byblos im Libanon. Unter ihnen entwickeln sich Schreiben und Rechnen, die Kunst der Steinbearbeitung und andere Künste. In dieser Zeit entsteht die Grundlage des ägyptischen Staates.

Mit der *3. Dynastie*, etwa ab 2700 v. Chr., beginnt das **Alte Reich.** Djoser, einer ihrer Könige, verlegt die Hauptstadt nach Memphis. Er lässt bei Saqqara eine Stufenpyramide als sein Grabmal erbauen (s. S. 10). Sie ist 60 m hoch und der älteste Steinbau dieser Größe in der Geschichte.

Aus der *4. Dynastie* ragt Pharao Cheops heraus (um 2600 v. Chr.). Von ihm stammt die größte aller Pyramiden, die jemals errichtet wurden. Sie erhebt sich bei Gisa, und mit ihrer Höhe von beinahe 147 m zeigt sie deutlich, dass der Pharao die Kraft ganz Ägyptens für seine Pläne einsetzen kann. Sein Wort ist Befehl, und seine Untertanen sehen ihn als einen Gott an.

Die Stufenpyramide des Djoser bei Saqqara in der Nähe von Memphis.

Die Könige der *5. Dynastie* verehren in besonderem Maße den Sonnengott Re. Pharao Sahure berichtet um 2500 v. Chr. von seinem siegreichen Feldzug gegen die Libyer und davon, dass er seine Flotte entlang der Küste des Mittelmeeres nach Byblos geschickt hat. Es ist typisch für das Alte Reich, dass Ägypten seine Grenzen festigt und Expeditionen aussendet, um Rohstoffe zu besorgen, vor allem Steine, Erze und Holz. Man sichert den ägyptischen Einfluss südlich des ersten Kataraktes in Nubien und auf der Halbinsel Sinai, strebt aber noch nicht danach, Ägypten durch Eroberungen zu vergrößern.

Gegen Ende der *6. Dynastie* zerbricht die Kraft des Alten Reiches. Ein Grund dafür ist, dass die hohen Beamten in den Provinzen immer mehr Macht für sich selbst gewinnen und dadurch die Macht des Pharao schwächen. Auch verliert der Staat einen Teil seiner Einkünfte, weil die Tempel ihren Besitz beständig vermehren.

Die Thronfolge wird immer häufiger durch Kampf entschieden. Viele Herrscher regieren nur für kurze Zeit, und Bürgerkriege brechen aus.

Um 2100 v. Chr. zerfällt Ägypten in mehrere Teilreiche. Die **Erste Zwischenzeit** beginnt. Zwei Königreiche setzen sich durch: Die Herrscher der *9. und 10. Dynastie* regieren in Herakleopolis, nahe der Oase Fajjûm, die Herrscher der *11. Dynastie* haben ihren Sitz in Theben, dem heutigen Luxor. Beide Dynastien regieren gleichzeitig und bekämpfen sich.

Die Herrscher aus Theben gewinnen den Kampf. Um 2000 v. Chr. vereinigt Mentuhotep II. ganz Ägypten unter seiner Herrschaft und begründet das **Mittlere Reich.** Pharao Amenemhet I., der erste Herrscher der *12. Dynastie,* festigt wieder die Macht und die zentrale Stellung des Königs. Er verlegt die Hauptstadt von Theben nach Itj-taui, südlich von Memphis. Die Pharaonen dieser Dynastie bringen Ägypten zur Blüte.

Sesostris I. und Sesostris III. erobern Nubien bis zum 2. Katarakt und sichern die Grenze durch viele Festungen; dieses Gebiet gehört von nun an zum ägyptischen Reich. Die

Wie waren die Beziehungen Ägyptens zu seinen Nachbarn?

Die kleine Figur des Pharao Cheops ist aus Elfenbein und nur 7,5 cm hoch. Der König sitzt auf dem Thron. Er trägt den kurzen Schurz und die Rote Krone (hinten teils weggebrochen). Seine rechte Hand hält die Geißel.

Ägypter verstärken ihren Handel mit dem Ausland, mit dem freien Nubien südlich des zweiten Katarakts, mit Phönizien (dem heutigen Libanon), mit dem Zweistromland (dem heutigen Irak) und wahrscheinlich auch mit Kreta; viele Asiaten kommen nach Ägypten, um dort zu leben und zu arbeiten. Amenemhet III. macht mit Hilfe von Kanälen und Schleusen die sumpfigen Gebiete der Oase Fajjûm urbar.

Von der *13. Dynastie* an wird die Macht der ägyptischen Könige schwächer. In Unterägypten reißen Herrscher den Thron an sich, die keine Ägypter sind. Sie gehören zu den zahlreichen Asiaten, die schon seit längerer Zeit in Ägypten leben, und ihr Name „Hyksos" geht auf eine ägyptische Bezeichnung zurück, welche „Herrscher der Fremdländer" bedeutet. Die Hyksos bilden die *15. und 16. Dynastie* (etwa ab 1650 v. Chr.); ihre Hauptstadt Auaris liegt im östlichen Delta. Gleichzeitig regieren in Theben die Pharaonen der *17. Dynastie*, die sich als die rechtmäßigen Nachfolger der Könige der *13. Dynastie* betrachten. Außerdem gibt es in Mittelägypten einige kleinere Fürstentümer. Sie alle müssen jedoch an die Hyksos Tribute zahlen. Diese Epoche nennen wir die **Zweite Zwischenzeit.** In ihr gelangen

Ein Standbild Sesostris I., aus Zedernholz. Der König trägt die Weiße Krone Oberägyptens und einen kurzen Schurz mit Gürtel. Krone und Schurz wurden mit Gips überzogen und bemalt. In der linken Hand hält der Pharao den Herrscherstab.

manche Erfindungen der Asiaten nach Ägypten, darunter der von Pferden gezogene Streitwagen, der eine schlagkräftige neue Waffe war.

Wann erreichte Ägypten seine größte Macht?

Den letzten Königen der thebanischen 17. Dynastie gelingt es um 1550 v. Chr., die Fremdherrscher aus Ägypten zu vertreiben. Ahmose erobert Auaris und begründet die *18. Dynastie* und mit ihr das **Neue Reich.** Die tatkräftigen Könige dieser Dynastie machen Ägypten zu einer Großmacht des Vorderen Orients. Thutmosis I. dringt in Nubien bis etwa zum 5. Katarakt vor, und in Asien erreichen seine Truppen den Euphrat. Unter der Königin Hatschepsut wird von einer großen Handelsexpedition in das Land Punt berichtet, das in Eritrea am Südende des Roten Meeres lag. Thutmosis III. ist der große Eroberer der Dynastie. Er sichert die ägyptische Vorherrschaft in Palästina und Syrien. In dieser Zeit der größten Macht Ägyptens gibt es einen regen Handel mit den Nachbarstaaten, und aus Nubien, das reich an Gold ist, werden große Mengen dieses wertvollen Metalls nach Ägypten gebracht.

Nach einem Relief im Tempel der Königin Hatschepsut, Theben. Zwei der Schiffe, die Königin Hatschepsut nach Punt geschickt hatte, werden dort mit Waren beladen.

Aus dem Lande PUNT importierte man unter anderem Harzklumpen zur Erzeugung von Weihrauch, Edelhölzer, Gold, aber auch Stoßzähne des Elefanten, Leopardenfelle oder lebende Affen. Die Expedition der Königin Hatschepsut brachte sogar Bäume mit, um sie in Ägypten anzupflanzen.

Wer war Echnaton?

Um 1350 v. Chr. kommt Pharao Echnaton an die Regierung und beginnt, vieles in Ägypten grundlegend zu verändern. Er gibt Theben und Memphis als Hauptstädte auf und gründet eine neue Residenz in El-Amarna. Die Verehrung des Gottes Amun und der meisten anderen Götter wird verboten, und an ihre Stelle setzt Echnaton die Verehrung des Gottes Aton, der als Sonnenscheibe Licht und Leben spendet. Bisher unbekannte Männer, auch Ausländer, werden in hohe Ämter eingesetzt. Die ägyptischen Bildhauer und Maler entwickeln völlig neue Formen. Warum führt Echnaton diese Veränderungen durch? Ein wichtiger Grund ist, dass er die Macht der Tempel und Priester des Gottes Amun brechen will; denn diese hat stetig zugenommen und beschränkt die Macht des Königs. Weitere Gründe liegen in der Persönlichkeit und in der Erziehung Echnatons.

Bald nach dem Tode Echnatons, unter Pharao Tutanchamun, erlangen die Tempel und Priester ihre alten Rechte zurück. In der folgenden Zeit wird der Name Echnatons gelöscht und ausgemeißelt, wo auch immer man ihn findet. Ein Text nennt Echnaton den „Verbrecher von Amarna".

Um 1300 v. Chr. beginnt die *19. Dynastie*. Ramses II. ist einer ihrer großen Herrscher. Er baut seine neue Residenz, die „Ramsesstadt", im Ostdelta und lässt im ganzen Land zahlreiche Tempel errichten. Seine Kriege mit den Hethitern, darunter die berühmte Schlacht bei

Von seinem Streitwagen aus kämpft Tutanchamun gegen die Nubier. Der König, ohne Wagenlenker, hat die Zügel um die Hüfte geschlungen.

Der STREITWAGEN wurde in Asien entwickelt, doch bald schon bauten auch die Ägypter Streitwagen bester Qualität. Den einachsigen Wagen ziehen zwei Pferde, und die Besatzung besteht in der Regel aus dem Wagenlenker und dem Bogenschützen. Die Räder haben einen Durchmesser von etwa 1 m, und den Boden des Wagenkorbes bildet ein Geflecht aus Lederriemen, das die Stöße abfedert. Der Wagen wurde nicht nur im Krieg, sondern auch für andere Ausfahrten verwendet.

Ein Relief des Tempels von Edfu, der unter den Ptolemäern erbaut wurde: Die Göttinnen Uto (links) und Nechbet krönen Ptolemäus VIII. Der König trägt den breiten Halskragen, den langen Königsbart und die Doppelkrone mit der Uräusschlange an der Stirn. Uto erscheint mit der Roten Krone, Nechbet mit der Weißen Krone.

FREMDHERRSCHER

Auch wenn die nubischen, persischen oder griechischen Herrscher anders aussahen als die Ägypter und sich anders kleideten, in den Tempeln wurden sie als Pharaonen dargestellt. Das musste so sein, denn die ägyptische Religion verlangte, dass die Götter Ägyptens ihre Opfergaben von einem ägyptischen König empfingen. Was den Fremden dazu fehlte, wurde durch die Kraft des Bildes ergänzt.

Auf dem Relief rechts, das die Königsfamilie unter dem „Strahlenaton" zeigt, erscheint der Gott als Sonnenscheibe, deren Strahlen in Hände auslaufen. Die lebenspendenden Hände des Sonnengottes Aton halten die Hieroglyphe ☥ an die Nase des Königs und der Königin. Die Hieroglyphe bedeutet Anch, Leben.

Qadesch, führen schließlich zu einem Friedensvertrag. Weitere mächtige Gegner bedrohen Ägypten. Um 1200 v. Chr. besiegt Ramses III., der bedeutendste König der *20. Dynastie*, die Seevölker und die Libyer, die nach Ägypten eingefallen waren.

Unter den schwachen Nachfolgern Ramses III. verliert Ägypten erneut seine Kraft. Die Ordnung im Lande zerbricht. Wirtschaft und Handel liegen am Boden, und Räuber plündern sogar die Gräber der Pharaonen. Die **Dritte Zwischenzeit** beginnt. Wieder brechen Ober- und Unterägypten auseinander. In Theben regieren die Hohenpriester des Gottes Amun, in der Deltastadt Tanis die Herrscher der *21. Dynastie*. Die folgenden Dynastien können den Niedergang Ägyptens nicht aufhalten.

In der **Spätzeit** wird Ägypten überwiegend von Königen beherrscht, die keine Ägypter mehr sind. Um 700 v. Chr. regieren als *25. Dynastie* nubische Könige, deren Reich vom sechsten Katarakt bis zum Mittelmeer reicht. Es folgen die Herrschaft der Assyrer, der Saiten (Libyer), der Perser und, nach drei einheimischen Dynastien, erneut der Perser.

Wer waren die Ptolemäer?

Im Jahre 332 marschieren die Truppen Alexanders des Großen in Ägypten ein. Einer seiner Generäle, Ptolemäus, begründet die Dynastie der Ptolemäer. Diese lassen sich als Pharaonen krönen, regieren in Ägypten und machen das Land erneut zu einer Großmacht des Vorderen Orients. Aber das ist nicht mehr das alte Ägypten: Die Pharaonen sind Griechen, die Soldaten sind Söldner aus aller Herren Länder, die Hauptstadt Alexandria liegt am Mittelmeer, und auf die Welt des Mittelmeers richtet sich das Interesse der Ptolemäer, weniger auf Ägypten. Allerdings lebt das alte Ägypten in bestimmten Bereichen weiter, vor allem in der Religion. Die ptolemäischen Könige fördern die Priester

Echnaton und seine Gemahlin Nofretete bringen Aton, der vergöttlichten Sonnenscheibe, ein Opfer dar.

und Tempel, weil diese ihnen nützlich sind; denn sie verschaffen ihnen, den fremden Herrschern, Anerkennung beim Volk, und sie organisieren einen großen Teil der Landwirtschaft.

Nach dem Tod Kleopatras VII. im

Was kam nach den Pharaonen?

Jahre 30 v. Chr. wird Ägypten eine **Provinz des Römischen Reiches**. Die Römer regieren nicht mehr im Lande. Zwar interessieren sie sich für die geheimnisvolle Kultur des alten Ägypten, wichtiger sind ihnen aber die enormen Getreidelieferungen des Landes. In den Jahrhunderten der römischen Herrschaft übernehmen die Ägypter das Christentum. Als um 400 n. Chr. das Römische Reich endgültig geteilt wird, fällt Ägypten an die Byzantiner, die das Land von Konstantinopel (heute: Istanbul) aus regieren und ausbeuten.

Im Jahre 640 erobern die Araber Ägypten und machen es zu einer Provinz des Kalifenreiches. Die arabische Sprache beginnt die uralte ägyptische Sprache zu verdrängen, und der Islam breitet sich aus. Die verbliebenen Christen werden „Kopten" genannt.

Ab 935 regieren in Kairo wieder einheimische Herrscher. Ihr berühmtester ist Sultan Saladin, der Kairo glanzvoll ausbaut und siegreich gegen die Heere der Kreuzfahrer kämpft. Die Mamluken, Angehörige einer militärischen Elite, gelangen 1250 an die Macht und lenken die Geschicke Ägyptens eher schlecht als recht bis zum Jahre 1517.

Dann erobern die Osmanen Kairo, und Ägypten wird eine türkische Provinz. 1798 landet Napoleon Bonaparte mit einer französischen Flotte in Ägypten und besiegt die Mamluken und die Türken. Er bringt viele Gelehrte und Künstler mit, die unter anderem auch die Denkmäler des alten Ägypten untersuchen und aufzeichnen. Soldaten Napoleons finden den Stein von Rosette, und dieser Fund wird die wissenschaftliche Erforschung Altägyptens einleiten.

1805 reißt der aus Albanien stammende Offizier Mohammed Ali die Macht an sich. Er und einige seiner Nachfolger machen aus Ägypten einen modernen Staat, der die technischen Erfindungen Europas nutzt. Gegen Ende des 19. Jahrhunderts bringen die Engländer Ägypten in

Drei Schriften und drei Sprachen geben an, dass dies der Eingang zum Kloster des Heiligen Antonius ist, welches in der Arabischen Wüste liegt. Oben: Arabisch; rechts: Koptisch ; links: lateinische Schrift und englische Sprache.

ihre Gewalt. Erst 1952 übernehmen wieder Ägypter die Regierung ihres Landes, indem sie den letzten unfähigen König Farūq und die Engländer verjagen. Auf die Präsidenten Nasser und Sadat folgt Mubarak, der noch heute Ägypten regiert.

Die Geschichte Ägyptens können wir mit schriftlichen Quellen über etwa 5000 Jahre verfolgen. Dabei ist zu erkennen, wie sehr sich im Laufe der Zeit alles vermischt und verändert – und wie gering in diesem Geschehen ein einzelner Mensch ist.

ARABISCH UND ÄGYPTISCH

Die Mehrzahl der heutigen Ägypter bekennt sich zur Religion des Islam. Sie spricht Arabisch, ebenso wie viele andere Völker Nordafrikas und des Vorderen Orients, von Marokko bis zum Irak. Die altägyptische Sprache ist im täglichen Leben ausgestorben. In ihrer spätesten Form, dem Koptischen, wird sie allerdings noch im Gottesdienst der christlichen Ägypter und Äthiopier benutzt, vergleichbar unserem Kirchenlatein. Doch auch hier verstehen die meisten Gläubigen nur noch einige religiöse Formeln.

Unser Wissen über Ägypten

Was sind historische Quellen?

Über die Geschichte Ägyptens haben wir nun einiges erfahren, weiteres wird folgen. Woher aber weiß man all dies? Man erschließt es aus den historischen Quellen. Jeder hört gerne Geschichten aus der Vergangenheit. Dabei fragt man nicht, ob sich die Sache genau so zugetragen hat, wie sie erzählt wird. Die Hauptsache ist, dass die Erzählung interessant und spannend bleibt.

Anders sieht das der Historiker, also der Wissenschaftler, der die Geschichte erforscht. Er glaubt nicht ohne Prüfung, was über die Vergangenheit erzählt wird; sein Ziel ist nämlich, herauszufinden, wie die Sache wirklich war. Dabei stützt er sich auf Funde, die von dem Ort und aus der Zeit stammen, um die es geht; solche Originalfunde nennt man historische Quellen.

In Ägypten findet man drei Arten von historischen Quellen. Es sind Gegenstände, Bilder und Texte. Gegenstände sind zum Beispiel ein Tempel, ein Haus, ein Grab, eine Statue, eine Mumie, Waffen, Möbel, Töpfe, ein Musikinstrument, ein Brettspiel, ein Hemd, ein Paar Sandalen, ein Papyrus, eine Puppe, eine Halskette, ein Ohrring oder eine Perle. Die gegenständlichen Quellen zeigen dem Historiker, was es damals alles gab, wie diese Dinge aussahen, oft auch wozu sie dienten und wie sie funktionierten.

Die Bilder befinden sich auf einigen der genannten Gegenstände: ein eingeritztes Bild auf einer Tempelmauer, ein gemaltes Bild auf der Wand eines Grabes, auf einer Mumie oder auf einem Topf. Weil aber die bildlichen Quellen den Gegenstand meist nur von einer Seite abbilden, wird manchmal nicht klar, wie er genau aussah oder wozu er diente.

Der erste Pylon (zweitürmige Torbau) des Tempels von Karnak. Beiderseits des Eingangs sehen wir senkrechte, große Aussparungen im Stein. Genau darüber befindet sich jeweils eine Öffnung. Wozu sie dienten, zeigt das Bild auf der nächsten Seite.

Diese Darstellung auf einer Wand des Tempels von Luxor zeigt die Außenseite eines Pylonen. Als bildliche Quelle lässt sie erkennen, wozu die Aussparungen und Öffnungen dienten: In den Aussparungen standen früher vier hohe Masten, die bei den Öffnungen befestigt und gesichert wurden. Die Masten überragten das Dach des Pylonen, und an ihrer Spitze wehten bunte Wimpel; dass die Wimpel bunt waren, erfahren wir aus schriftlichen Quellen.

Dafür aber zeigen die Bilder oft mehrere Gegenstände in einem sachlichen Zusammenhang; hieraus ergibt sich manchmal die Erklärung, wozu der einzelne Gegenstand diente.

Texte und Inschriften findet man auf den verschiedensten Gegenständen, auf Felsen, auf Mauern und Wänden, auf Möbeln, Waffen und Statuen, auf Topfscherben, vor allem aber auf Papyrus. Diese schriftlichen Quellen können nur recht ungenau angeben, wie etwas aussah. Aber nur sie halten Namen fest, geben Maße und Größen in Zahlen an, erzählen Märchen, berichten über weit zurückliegende Ereignisse und bewahren, was Menschen längst vergangener Zeiten gefühlt und gedacht haben.

Jede der drei Arten historischer Quellen verschweigt etwas. Deshalb erfahren wir am meisten über eine Sache, wenn wir dazu sowohl Gegenstände, als auch Bilder und Texte besitzen. Allerdings bleibt auch dann noch vieles offen. Die Historiker streiten sich nämlich nicht selten darum, wie die Quellen zu verstehen sind. Dieser Streit gehört zur Wissenschaft,

und nach der wissenschaftlichen Diskussion ist oft vieles klarer als vorher. Der Streit zeigt aber auch, dass wir damals nicht dabei waren und dass wir deshalb die Vergangenheit nur rekonstruieren können.

Im Jahre 1799 fanden französische Soldaten im westlichen Delta, beim Dorf Rosette, einen dunklen Stein. In diesen waren drei verschiedene Schriften eingeritzt, die hieroglyphische, die demotische und die griechische. Als die europäischen Gelehrten Ab-

Wer entzifferte die Hieroglyphen?

OBELISKEN

Vor dem Pylon standen in der Regel zwei Obelisken. Diese wurden aus einem einzigen, riesigen Block Rosengranit hergestellt, waren bis zu etwa 30 m hoch und konnten dann über 300 Tonnen wiegen. Obelisken verjüngen sich nach oben, und ihre Spitze, die mit Gold überzogen war, gleicht einer kleinen Pyramide. Obelisken spielten eine wichtige Rolle bei der Verehrung des Sonnengottes und garantierten dadurch den Fortbestand des Lebens.

DIE HIEROGLYPHENSCHRIFT

Die Bilder der Hieroglyphenschrift haben teils einen Bildwert, teils einen Lautwert. So besitzt zum Beispiel 🐟 den Bildwert „Fisch" und 🔯 den Bildwert „weinen", aber ⬯ (ein Mund) den Lautwert *r* und 🦉 (eine Eule) den Lautwert *m*. Da man nur Konsonanten schrieb, hat ⬯ 🦉 den Lautwert *rm*. Erst die Schreibungen ⬯ 🦉 🔯 und ⬯ 🦉 🐟 unterscheiden *rm* „weinen", von *rm*, „Fisch". Also ist die hieroglyphische Schrift ein Gemisch aus Bilderschrift und Lautschrift; sie zu lesen verlangt viel Übung. Die koptische Schrift gibt auch die Vokale wieder und kann deshalb ohne Bildzeichen die Wörter ΡΙΜΙ *(rimi)*, „weinen", und ΡΑΜΙ *(rami)*, „Fisch", auseinanderhalten. Wie kam nun das Bildzeichen zu seinem Lautwert? Etwa so: Wenn ich einen Aal und einen Arm zeichne, die Bedeutung der Wörter außer Acht lasse und nur ihre Lautwerte hintereinander spreche, ergibt sich 〰 ⌐ „Aalarm", das heißt als neues Wort „Alarm".
Einige Lautzeichen:

🦵 *b* 🔲 *p* 🐟 *f* 🦉 *m* 〰 *n* ⬯ *r* 🏠 *h* 📏 *s* 🥣 *k* ⬮ *t*

das System der hieroglyphischen Schrift erkannte. Er hatte sich für seine Studien gut vorbereitet, hatte Griechisch und Latein gelernt, ebenso wie Hebräisch, Arabisch und Koptisch. Die Arbeiten seiner Kollegen kannte er zu einem guten Teil, mit ihren vielen Fehlern, aber auch mit ihren richtigen Erkenntnissen. Wichtig für seinen Erfolg war das Studium der „Kartuschen", also der Königsnamen, welche in einem länglich-ovalen Feld stehen. Champollion verglich zum Beispiel die folgenden Kartuschen und ihre griechischen Wiedergaben:

Ptolemäus und **Kleopatra**

Er fand unter anderem, dass nach der Position der Zeichen ☐ den Lautwert p hat, ⌐ den Lautwert o und ⌒ den Lautwert l.

Vieles blieb noch zu klären, so zum Beispiel, dass das Zeichen für o eigentlich kein Vokal ist, weil die ägyptische Schrift nur Konsonanten kennt. Champollion wusste bald, dass die Hieroglyphen zwar Bilder sind, dass aber viele von ihnen feste Lautwerte haben, ähnlich wie unsere Buchstaben. Rasch fand er die Lautwerte zahlreicher Zeichen heraus, las Königsnamen und Texte.

Im Jahre 1822 legte Champollion die Ergebnisse seiner Forschungen vor. Sie waren zweifellos richtig, aber viele Kollegen wollten seine Entdeckung nicht anerkennen. Schließlich prüfte der deutsche

DER STEIN VON ROSETTE (siehe Bild) ist das Bruchstück einer Stele, also eines Denksteines. Er besteht aus Basalt und trägt ein und denselben Text in drei Schriften und zwei Sprachen. Die obere Schrift ist die hieroglyphische, sie hält den Text in der alten und heiligen mittelägyptischen Sprache fest. Es folgt die demotische Schrift, die den Text in der ägyptischen Alltagssprache wiedergibt, und das war zu jener Zeit das Demotische. Unten steht der Text in griechischer Schrift und Sprache. Die beiden ägyptischen Versionen des Textes wurden aus der griechischen Sprache übersetzt.

schriften der Texte bekamen, wurde der griechische sofort übersetzt. Er enthält den Beschluss einer Priesterversammlung aus dem Jahre 196 v. Chr. An seinem Ende ist zu lesen, dass der Beschluss in drei Schriften aufgeschrieben werden sollte. Damit war klar, dass jede Schrift denselben Text wiedergab. Der Stein von Rosette musste der Schlüssel zur Entzifferung der Hieroglyphen sein.

Auch mit Hilfe dieses Schlüssels bemühten sich viele Gelehrte vergebens. Einige kamen allerdings der Lösung des Problems näher. Sehr weit gelangte der englische Physiker Thomas Young. Er ermittelte bereits die Lautwerte einiger Zeichen und die Bedeutung einiger Wörter; das System der Hieroglyphenschrift blieb ihm aber verborgen.

Es war der Franzose Jean François Champollion (1790–1832), der

Gelehrte Richard Lepsius die Ergebnisse Champollions und erklärte sie für grundsätzlich richtig. Lepsius löste noch einige Probleme des Schriftsystems, die Champollion nicht hatte klären können. Damit war die Entzifferung der Hieroglyphen abgeschlossen.

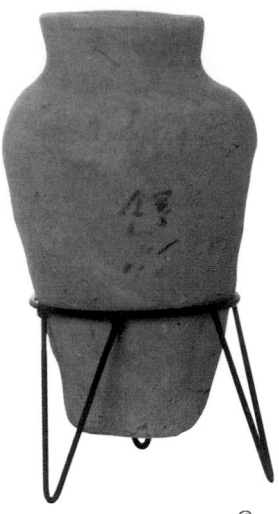

Ein Pfeiler der Weißen Kapelle Sesostris I. in Karnak. Der Gott Month führt den König (links) zum Gott Amun. Über den drei großen Bildern sieht man viele kleine Bilder, die genau so fein ausgearbeitet sind wie die großen. Sie lassen sich lesen und aussprechen, sind Bild und Schrift zugleich: Hieroglyphen.

Was ist ein Ägyptologe?

Der Ägyptologe ist ein Historiker, der sich speziell mit der Geschichte des alten Ägypten beschäftigt. Weil Champollion sich als Erster ganz dem Studium des pharaonischen Ägypten gewidmet hat und weil er dabei so erfolgreich war, darf man ihn den ersten Ägyptologen nennen. In Paris wurde er 1830 Professor für das Fach Ägyptologie; die Stelle hatte man eigens für ihn neu geschaffen. Die erste deutsche Professur für Ägyptologie erhielt Richard Lepsius 1842 in Berlin.

Die Ägyptologen können viele ägyptologische Probleme nicht alleine lösen; denn sie haben z. B. nicht gelernt, wie man den Gang der Sterne oder den Sternhimmel vor 4000 Jahren errechnet, wie man das Innere einer Mumie sichtbar macht, wie man aufgefundene Überreste von Pflanzen, Tieren, Steinen und Metallen naturwissenschaftlich bestimmt, wie man Fundstücke konserviert oder wie das Alter eines Stückchens Holz ermittelt wird. Deshalb arbeiten die Ägyptologen immer häufiger mit anderen Wissenschaftlern zusammen. Zu diesen gehören Astronomen, Ärzte, Biologen, Chemiker, Geologen, Physiker und andere. Die Zusammenarbeit hat sich gelohnt, denn durch sie ist manches Problem gelöst worden.

Dank der Zusammenarbeit von Ägyptologen und Geologen kann man heute in vielen Fällen sagen, aus welchem Steinbruch des Landes ein Stein kommt. Auch lässt sich das Alter einer Arbeitsstelle im Steinbruch mit Hilfe der Meißelspuren bestimmen.

Manchmal kennen die Ägyptologen nur die ungefähre, aber nicht die genaue Bedeutung eines Wortes. So wusste man vom Wort wꜥḥ nur, dass es der Name irgendeiner Frucht

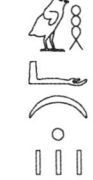

Ein grob gearbeiteter Topf, der in einem Grab gefunden wurde. Die Aufschrift lautet wꜥḥ, Erdmandeln.

HIERATISCH

Das Wort wꜥḥ, Erdmandeln, wurde in Hieratisch geschrieben. Die hieratische Schrift ist die kursive Schreibschrift der alltäglichen Geschäfte. Hieroglyphen, vergleichbar unseren Druckbuchstaben, benutzte man in der Regel nur für monumentale Inschriften auf Stelen sowie auf den Wänden der Paläste, Tempel und Gräber.

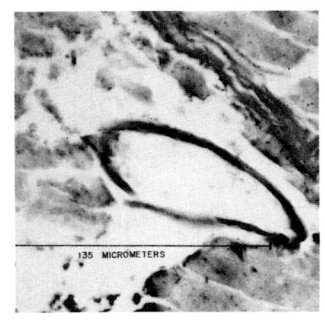

Großaufnahme des Eies einer Bilharzie (Schistosoma haematobium). Das Ei stammt aus einer Mumie und zeigt, dass die gefährliche Krankheit „Bilharziose" bereits im alten Ägypten verbreitet war.

Die ägyptische Armee im Angriff. Zwar ist diese lebendige und sehr eindrucksvolle Darstellung mit Hilfe der historischen Quellen gezeichnet worden, aber es handelt sich doch nur um eine Rekonstruktion. Bei ihr ist zu bezweifeln, dass der Löwe des Königs aktiv in den Kampf eingegriffen hat.

war. Es war ein glücklicher Umstand, dass Töpfe gefunden wurden, welche die Aufschrift wꜥḥ trugen und Früchte enthielten. Als Biologen die Früchte analysierten, stellte sich heraus, dass es sich um Erdmandeln handelte, also um die nahrhaften Wurzelknollen einer Pflanze. Nun weiß man, dass das Wort wꜥḥ die Erdmandel bezeichnet. Dabei wollen wir nicht hoffen, dass ein alter Ägypter die Erdmandeln in die falschen Töpfe gelegt hat.

Die für die Medizin entwickelte Methode der Computertomographie hat man auch zur Untersuchung ägyptischer Mumien eingesetzt. Nun kann man in die Mumie hineinsehen, ohne dass man sie aufwickeln, aufschneiden und damit zerstören muss. Die computertomographischen Bilder zeigen in vielen Einzelheiten, wie die jeweilige Mumie hergestellt wurde. Mitunter sind sogar

die Erreger bestimmter Krankheiten zu erkennen, öfters auch deren Folgen sowie allerlei körperliche Missbildungen.

Aus dem Körpergewebe der Mumie lässt sich die Blutgruppe des Verstorbenen feststellen. Auch DNA-Analysen sind möglich. Beides kann über die verwandtschaftlichen Beziehungen der Toten Auskunft geben. Entsprechende Untersuchungen an den Königsmumien können entscheiden, welche Könige miteinander blutsverwandt waren. Das hilft dem Historiker, offene Fragen zu den einzelnen Dynastien zu klären.

Der Computer ist ein unentbehrliches Arbeitsgerät des Ägyptologen geworden. Mit ihm kann er Hieroglyphen „zeichnen". Riesige Textmengen lassen sich mit Hilfe des Computers erfassen, ordnen oder durchsuchen. Dank des Computers ist es leichter geworden, Gebäude zu zeichnen und zu rekonstruieren. Schließlich können heute Ägyptologen in aller Welt die Ergebnisse ihrer Forschung und ihre Ideen über das Internet austauschen. All dies sind nur einige wenige Beispiele für die vielfältigen Möglichkeiten des Computers in der Ägyptologie.

Von dem, was wir gerne über das alte Ägypten wissen möchten, ist schon einiges bekannt, vieles aber liegt noch teilweise oder gänzlich im Dunkeln. Anderes ist bei den Ägyptologen sehr umstritten. Dazu einige Beispiele:

| **Was wissen wir noch nicht über Ägypten?** |

Wir wüssten gerne mehr darüber, wie die beiden Königreiche Ober- und Unterägypten vereint wurden. Zur Zeit finden Ausgrabungen statt, deren Funde hoffen lassen, dass man bei diesem Problem einer Lösung näherkommt.

Ungelöst ist immer noch die Frage, wie die Ägypter die Pyramiden gebaut haben. Auch weiß man nicht, wie es ihnen gelungen ist, die ungeheuer schweren Obelisken auf ihre Schiffe zu laden. Zu beidem gibt es allerdings verschiedene Theorien, von denen jedoch keine in allen Einzelheiten überzeugend ist.

Die Mumie Amenophis 1., des 2. Königs der 18. Dynastie, hat man in einem Sammelgrab gefunden, sein eigenes Grab aber ist bis heute nicht sicher identifiziert worden. Schon seit langer Zeit sucht man vergeblich das Grab Alexanders des Großen und der ptolemäischen Könige.

Viele altägyptische Musikinstrumente sind gefunden worden. Wir besitzen zahlreiche Darstellungen von Musikern und Sängern, und auch die Texte mancher Lieder sind bekannt. Und dennoch haben wir bis heute nur eine sehr ungenaue Vorstellung davon, wie die Musik geklungen hat.

Manche Geschichte würden wir gerne zu Ende lesen, doch der Schluss des Papyrus ist zerstört. Vielleicht wird einmal ein Papyrus ausgegraben, der eine unbeschädigte Abschrift des betreffenden Textes enthält und uns mehr verrät.

Bilder auf den Grabwänden zeigen spielende junge Leute oder Kinder. Leider wissen wir in vielen Fällen noch nicht, wie das Spiel genau verlief und nach welchen Regeln gespielt wurde.

LIED

Folgendes Lied singt ein Mann, der auf der Tenne die Rinder antreibt, damit sie mit ihren Hufen das Korn aus den Ähren dreschen:

**„Drescht ihr wohl,
drescht ihr wohl, ihr Rinder,
drescht ihr wohl,
drescht ihr wohl!
Das Stroh ist für das Futter,
das Korn für eure Herrn.
Gönnt euren Herzen
keine Ruhe,
denn es ist ja kühl".**

Drei Mädchen spielen Doppel-Oboe, Laute und Harfe.(Eine Wandmalerei im Grab des Nacht, Theben, 18. Dynastie.)

Der Pharao, König und Gott

Welche Macht besaß der Pharao?

Der ägyptische König unterschied sich von seinen Untertanen weniger in der Kleidung, denn wie sie kann auch er als einziges Kleidungsstück einen kurzen Schurz tragen. Es sind seine Insignien, also bestimmte Kennzeichen seines königlichen Ranges, die ihn über sein Volk erheben. Dazu gehören neben Stierschwanz, Krummstab und Geißel (siehe Seite 22) vor allem das Königskopftuch, die Kronen und die Uräusschlange. An diesen Insignien ist die Macht des Königs zu erkennen.

Wie groß die Macht des Pharao war, das soll eine historische Quelle zeigen. Sie stammt aus der Lebensgeschichte des Sinuhe, die vor etwa 4000 Jahren niedergeschrieben wurde. Sinuhe hatte viele Jahre im Ausland gelebt und ist nun nach Ägypten zurückgekehrt. Er wird aufgefordert, zum König zu kommen. Über seine Begegnung mit dem König schreibt er:

„Ich erkannte Seine Majestät auf dem großen Thron unter einem Baldachin aus Gold, während ich ausgestreckt auf meinem Bauch lag. Ich verlor beinahe die Besinnung vor ihm, als dieser Gott mich freundlich ansprach. Ich war wie jemand, der das Bewusstsein verloren hat; mein Geist hatte mich verlassen, meine Glieder zitterten. Mein Herz war nicht mehr in meinem Leibe, und so wusste ich nicht mehr, ob ich lebte oder tot war. Da sagte Seine Majestät zu einem der Höflinge: ‚Hebt ihn auf, macht, dass er mit mir sprechen kann!'".

DIE MASKE DES TUTANCHAMUN lag unmittelbar auf der Mumie des Königs. Sie wurde aus dickem Goldblech geformt und mit Einlagen aus Schmucksteinen und farbigem Glas ausgestaltet. Das Kopftuch gehört zu den königlichen Insignien. Es umrahmt das goldene Gesicht des Pharao und stellt ihn, den Sohn des Sonnengottes Re, als Sonne dar; denn die goldenen Streifen des Kopftuchs sind die Strahlen der Sonne, die blauen Streifen aus Lapislazuli geben das Blau des Himmels wieder. An der Stirn des Königs ragen die beiden Schutzgöttinnen des Königs auf, links Uto in Gestalt einer Kobra, rechts Nechbet in Gestalt eines Geiers. An seinem Kinn trägt der junge König den geflochtenen Götterbart.

Goldene Maske des Tutanchamun, Theben, 18. Dynastie.

Dieser Text lässt erkennen, dass der Untertan Sinuhe seinen König als einen Gott ansieht. Und die Erscheinung dieses „Gottes" flößt ihm so viel Ehrfurcht ein, dass er nahezu bewusstlos wird.

Wenn nun der König in den Augen der Untertanen ein Gott war, war er ein Gott auch im Vergleich mit den anderen Göttern? Hatte er wirklich dieselbe Macht wie die Schöpfer der Welt? Die Antwort auf diese Frage kann ein Text des Mittleren Reiches geben, in dem der König selbst spricht:

„Der Gott Harachte hat mich erschaffen, um das zu tun, was für ihn getan werden soll, um das auszuführen, was er befohlen hat. Er hat mich zum Hirten dieses Landes gemacht". Klar ist zu erkennen, dass der König nur ein Geschöpf des Gottes ist und dass er im Auftrag des Gottes handelt.

Krummstab und Geißel, Insignien des Pharao. Theben, 18. Dynastie, aus dem Grab des Tutanchamun.

Ein Text des Neuen Reiches zeigt, wie sehr der König auf die Hilfe seines Gottes angewiesen ist. Dabei handelt es sich um ein Gebet, das Ramses II. zum Gott Amun sprach, als er während der Schlacht bei Qadesch von seinen Truppen verlassen und von Feinden umzingelt war:

„Ich rufe zu Dir, mein Vater Amun, während ich inmitten von Fremden bin. Alle Fremdländer haben sich gegen mich vereint, ich aber bin ganz allein, niemand ist bei mir. Mein großes Heer hat mich verlassen, und keiner von meinen Wagenkämpfern hat sich nach mir umgesehen. Ich rief und rief nach ihnen, doch keiner hörte auf mich, als ich rief. Aber ich habe erkannt, dass Amun für mich besser ist als Millionen von Fußtruppen und Hunderttausende von Wagenkämpfern, mehr als zehntausend Brüder und Söhne, die fest zusammenhalten. Das Werk vieler Menschen ist nichts, Amun ist besser als sie".

Deutlich ist zu sehen, dass Ramses II. nicht die Macht des Gottes Amun hat. Er erfleht ja die Hilfe seines „Vaters Amun", wenn menschliche Hilfe ihn nicht mehr retten kann. Also erscheint der Pharao gegenüber den Menschen als ein Gott, aber gegenüber dem Gott ist er doch nur ein Mensch. Er steht also zwischen den Menschen und den Göttern.

Dennoch gehörte der Pharao zur Familie der Götter. Er trug den Titel „Sohn des Re" und galt als der Stellvertreter des Gottes Horus auf Erden. Deshalb konnte er als Einziger mit den Göttern sprechen und sie bitten, den Ägyptern al-

GEISSEL UND KRUMMSTAB, über der Brust gekreuzt, sind für den Gott Osiris charakteristisch. Der Krummstab war ursprünglich ein Hirtenstab, der zum Herrscherstab wurde, weil der König sein Volk führt wie ein Hirte seine Herde.

König Haremhab opfert dem Gott Atum zwei Gefäße mit Wein. Der König kniet in ehrfurchtsvoller Haltung, und er ist kleiner dargestellt als der Gott. Beides zeigt deutlich, dass der Rang des Königs weit niedriger ist als der des Gottes.

Eine Statuengruppe aus dem Tempel von Luxor, 18. Dynastie.

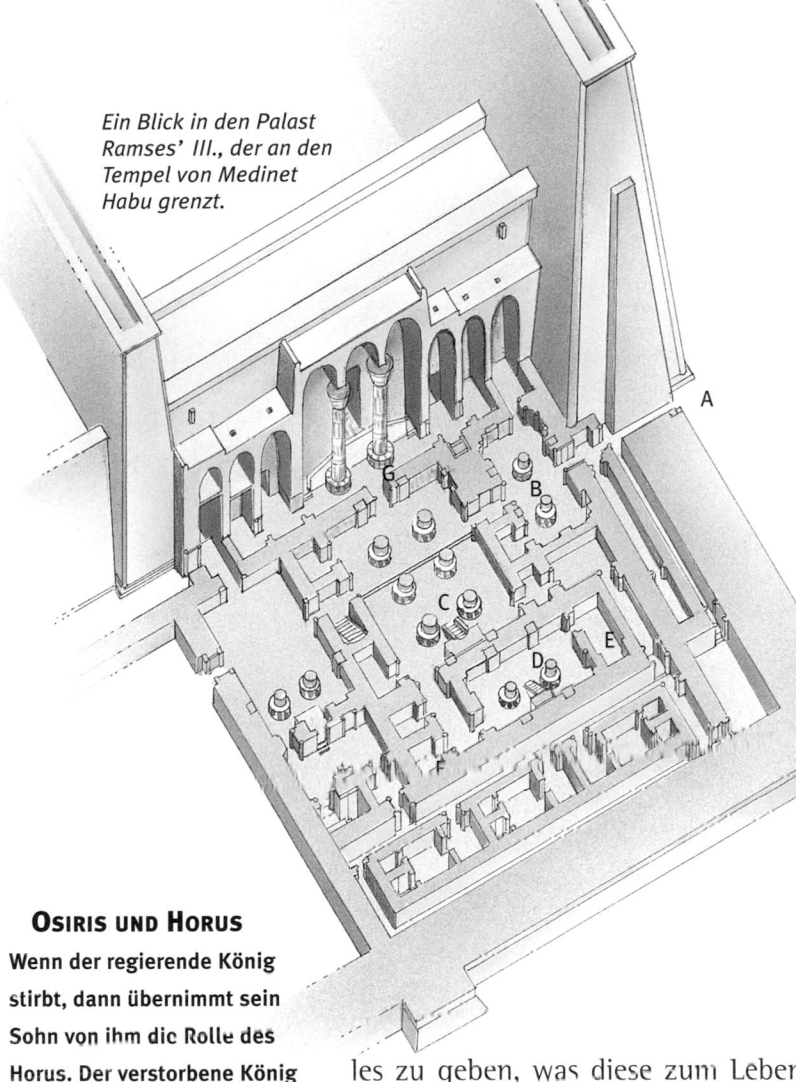

Ein Blick in den Palast Ramses' III., der an den Tempel von Medinet Habu grenzt.

OSIRIS UND HORUS

Wenn der regierende König stirbt, dann übernimmt sein Sohn von ihm die Rolle des Horus. Der verstorbene König wird zu Osiris und regiert im Jenseits weiter, für alle Ewigkeit. Der lebende König ist also ein Horus, der nach seinem Tode zu Osiris wird. Damit übernehmen der König und sein Sohn die Rollen der Götter Osiris und Horus, von denen ein ägyptischer Mythus folgendes berichtet:

Der gute König Osiris wurde von seinem Bruder Seth getötet. Seth wollte selbst die Königsmacht an sich reißen und versuchte deshalb, auch Horus, den Sohn des Osiris, umzubringen. Doch Isis, der Mutter des Horus, gelingt es, ihren Sohn vor Seth zu verbergen. Horus wächst heran, tötet Seth und wird der rechtmäßige Nachfolger seines Vaters Osiris.

Besonders groß war die Macht des gottähnlichen Pharao im Alten und im Mittleren Reich. Später wurde der König mehr und mehr als Mensch gesehen. Gegen Ende der ägyptischen Geschichte kam es sogar vor, dass einige Ägypter ihren König danach beurteilten, ob er so regiert hatte, wie es seine Pflicht war.

Wie lebte der Pharao?

Aus Stein errichtete man die Tempel der Götter sowie die Gräber der Menschen und Könige, der Stein war nämlich das Material für die Ewigkeit. Für das kurze Leben in dieser Welt genügten Bauten aus luftgetrockneten Nilschlammziegeln. So lebten die Menschen in Häusern aus Ziegeln, und auch der Palast des Pharao wurde überwiegend aus demselben Material gebaut.

Neben dem großen Tempel Ramses' III. auf der Westseite von Theben ist ein Palast des Königs ausgegraben worden, dessen Grundriss oben abgebildet ist. Nach dem Eingang (A) betritt man zunächst eine Vorhalle mit zwei Säulen (B). Von ihr gelangt man in einen zentralen, großen Saal mit sechs Säulen (C). An seiner Rückwand befindet sich der Thron, auf dem der König saß, wenn er hohe Beamte oder Abgesandte empfing. Eine Tür links neben dem Thron führt in den privaten Teil des Palastes (D). Zu ihm gehörte ein Wohnraum mit einem weiteren Thron, das Schlafzimmer (E) sowie Bad und Toilette (F).

Links von diesem Teil des Palastes liegen die Gemächer der Königin. Hinter den Gemächern des Königs und der Königin gibt es drei Wohnungen für die vertrauenswürdigsten Diener.

les zu geben, was diese zum Leben brauchten. Der Ort, an dem der Pharao mit den Göttern sprach, war der Tempel. Dort überreichte er ihnen seine Opfergaben, denn er war nicht nur der König und Herr Ägyptens, sondern auch der oberste Priester in allen Tempeln des Landes.

Natürlich wussten die Menschen, dass der Pharao sterblich war. Doch das war er nur, solange er bei ihnen auf der Erde lebte. Nach seinem Tode kehrte der Pharao zu seinen göttlichen Ahnen zurück und wurde ein wirklicher Gott. Und dort im Jenseits, so glaubte man, würde er bis in alle Ewigkeit wieder diejenigen Menschen regieren, die zu seiner Zeit auf der Erde gelebt hatten. Die Ägypter konnten sich ein Leben ohne Pharao nicht vorstellen, denn sie lebten durch ihn, in der diesseitigen und in der jenseitigen Welt.

Die Mauern und die Tonnengewölbe des Daches bestehen aus Nilschlammziegeln. Aus Stein sind die Einfassungen der Türen, die bis zu 7,5 m hohen Säulen, die Untersätze für die Throne sowie der Boden und die Wandverkleidung der sanitären Räume. Dort, wo der Palast an die Mauer des Tempels grenzt (G), führen hinter den beiden Säulen zwei Treppen zu einem großen Fenster, das in den Hof des Tempels blickt. Im Hof, zu Füßen des Königs, versammelten sich Beamte und Offiziere, die der Pharao für ihre besonderen Leistungen mit Schmuckstücken aus Gold belohnte.

In diesem Palast hat sich der König nur aufgehalten, wenn er einmal den Tempel während eines großen Festes besuchte. Auch nach seinem Tode, so glaubte man, lebte er darin, um an den Festen teilzunehmen.

Teil eines Palastfußbodens aus El-Amarna, Zeit des Echnaton. Drei Enten fliegen in einer Sumpflandschaft; bei den Büschen handelt es sich rechts um Papyrus und links um ein anderes Riedgras.

Sitzstatue des Königs Chefren, des Sohnes des Cheops. Auf der Rücklehne des Thrones steht ein Falke, der seine Flügel um den Hinterkopf des Königs gebreitet hat. Es ist der Gott Horus in seiner Falkengestalt. Er schützt den König, der für ihn auf Erden regiert.

Während der meisten Zeit jedoch wohnte der König in einem anderen Palast. Die Ausgräber haben in einigen dieser Wohn-Paläste sehenswerte Überreste der einstigen Bemalung gefunden. Diese Reste zeigen, dass die Decken, Böden und Wände des Palastes bunt bemalt waren, zumeist mit Pflanzen und Tieren, aber auch mit Ornamenten. Die Bilder sind sehr lebendig und schwungvoll. Sie holten die Natur in den Palast und machten das Leben darin erfreulich und angenehm.

Zahlreiche Diener sorgten für das körperliche Wohl des Königs. So gab es Diener, die für die Kleidung, den Schmuck, für das Fleisch, die Früchte, das Brot, für den Bierkeller oder den Weinkeller zuständig waren. Ein Mundschenk reichte dem König die Getränke und das Essen. Die Organisation des Palastes und des Dienstes am König unterstand einem strengen Leiter. Wenn der König in der Öffentlichkeit erschien, dann wurde er in einer Sänfte getragen. Neben der Sänfte schritten Wedelträger, welche die Stirn des Königs mit großen Wedeln aus Straußenfedern vor der heißen Sonne Ägyptens schützten.

DAS AMT DES WESIRS

Als ein neuer Wesir eingesetzt wurde, ermahnte ihn der König mit folgenden Worten:

„Halte das Amt und die Aufgaben des Wesirs sorgsam im Auge, achte auf alles, was im Namen des Wesirs geschieht; denn das Amt des Wesirs ist das Fundament des ganzen Landes. Schau, Wesir zu sein, das ist nicht süß und angenehm, es ist bitter wie Galle. ... Schau, die Bittsteller kommen aus Ober- und Unterägypten, das ganze Land sucht den Rat und die Entscheidung des Wesirs. Achte darauf, dass dann alles nach dem Gesetz getan wird, dass alles genau und rechtmäßig geschieht. ... Urteile nicht ungerecht, denn der Gott verabscheut es, wenn man parteiisch ist. ... Betrachte jemanden, den du kennst, genauso wie jemanden, den du nicht kennst; behandele jemanden, der dir nahe steht, so wie jemanden, der dir fern steht."

Der König hatte mehrere Frauen, von denen im Neuen Reich eine den Titel „Große Königliche Gemahlin" trug. Im Harem, dem Haus der Frauen, lebten die Gemahlinnen des Pharao mit ihren Kindern und ihrer Dienerschaft. Hier auch wurden die Kinder erzogen. Manche Pharaonen hatten einen großen Harem und viele Kinder. Von Ramses II. kennen wir 40 Töchter und 49 Söhne.

Selbst die Große Königliche Gemahlin hatte nur einen ganz geringen Anteil an der Macht des Königs. Allzu sehr war der ägyptische Staat auf die Person des Pharao ausgerichtet. Wenn aber einmal eine Königin auf den Thron gelangte, was nur sehr selten geschah, dann hatte sie dieselbe Macht wie der König.

ten, aber er konnte sich in jedem Falle über die Meinung seiner Ratgeber hinwegsetzen.

Der mächtigste Mann nach dem König war der Wesir. Als der höchste Beamte Ägyptens wachte er darüber, dass die Gesetze und die Befehle des Königs im Lande richtig ausgeführt wurden. Im Alten und im Mittleren Reich gab es nur einen Wesir, im Neuen Reich jedoch zwei. Von diesen war einer für Unterägypten zuständig, der andere für Oberägypten.

Der Wesir musste dem König täglich Bericht erstatten. Er hatte sich um die Gesetze und um die Rechtsprechung zu kümmern, um die Vermessung der Felder, um die Anlagen zur Bewässerung, um die Polizei, um die Bestrafung der Räuber, um die Bezahlung der Steuern und die Ausgaben des Staates, um die Lohnzahlungen und um vieles andere mehr.

Außerdem war er die höchste Stelle, an die man sich mit einer Beschwerde wenden konnte. Natürlich hatte der Wesir über all dies „nur" die Oberaufsicht. Ägypten war nämlich schon gegen Ende des Alten Reich in 38 Verwaltungsbezirke (Gaue) aufgeteilt. Es waren die Leiter dieser Gaue, welche die Arbeit vor Ort lenkten. Sie mussten dem Wesir über ihre Arbeit berichten und sich vor ihm verantworten.

Basisplatte eines vergoldeten Wedels aus dem Grab des Tutanchamun. Die Federn, die im oberen Halbrund steckten, sind nicht mehr erhalten. Es waren Straußenfedern. Dementsprechend zeigt das Bild die Jagd des Königs auf den Vogel Strauß. Tutanchamun, begleitet von seinem Jagdhund, schießt mit dem Bogen von seinem Wagen aus. Zwei Strauße sind bereits von seinen Pfeilen getroffen worden. Die beiden Hieroglyphen im Bogen nennen den König „Der mit dem starken Arm". Hinter dem Rücken Tutanchamuns ist ein Wedel mit Straußenfedern zu sehen.

Wie wurde Ägypten regiert?

Alle Macht lag in den Händen des Pharao. Nur der König erließ die Gesetze, und nur er setzte die höheren Beamten und Priester ein. Der König entschied auch über Krieg und Frieden. Er schickte das Heer aus, und manchmal zog er an der Spitze seiner Truppen in den Kampf. In bestimmten Fällen ließ sich der König von einigen Vertrauten bera-

Allerdings gab es in den Verwaltungsbezirken größere Tempel, die ihren Besitz recht selbständig verwalteten. Manche Tempel mussten keine Steuern bezahlen und ihre Leute nicht zur Arbeit für den Staat hergeben, weil der König sie mit einem Befehl davon befreit hatte.

Der Wesir und die Leiter der Bezirke beaufsichtigten viele Beamte.

Sitzstatue eines Wesirs, 12. Dynastie. Der lange, über der Brust verknotete Schurz, von zwei Trägern gehalten, gehört zur Dienstkleidung des Wesirs.

Diese berechneten die Ernteerträge, die Steuern, die Lohnzahlungen, das für eine Arbeit benötigte Material und vieles andere. Sie organisierten Expeditionen, um Rohstoffe zu besorgen, sie überwachten die Arbeiter und prüften die Qualität der Arbeit. Alles, was wichtig war, hielten sie in Urkunden und Akten schriftlich fest. Die Beamten lenkten nahezu das gesamte öffentliche Leben. Auch Handwerker, Künstler und Wissenschaftler waren Beamte. Frei von der Aufsicht des Staates waren die Menschen nur im Bereich ihrer Häuser.

Wie wurde ein Streit entschieden?

Im alten Ägypten stritten sich die Menschen im Großen und Ganzen um dieselben Dinge, um die wir heute streiten. Da hatte ein Arbeiter Werkzeuge gestohlen, die dem Staat gehörten. Jemand hatte einen anderen beleidigt oder verleumdet. Man stritt sich um ein Stück Land oder um ein Erbe. Oft entstand Streit, wenn etwas gekauft oder geliehen wurde. So lesen wir in einem gerichtlichen Protokoll: „An diesem Tage gab der Arbeiter Menena den Topf mit frischem Fett dem Polizeioffizier Mentmose, der sagte: ‚Ich will dafür mit Getreide bezahlen, …‘. ‚Dreimal habe ich (Mentmose) ihn bei Gericht angezeigt …, aber er hat mir bis heute nichts gegeben.‘"

Neben diesen privaten Streitereien gab es aber auch schwere Verbrechen. So hatten Räuber königliche Gräber ausgeplündert. Auch Mord und Totschlag kamen vor. Wir wissen sogar, dass Pharao Ramses III. ermordet wurde, und zwar von Angehörigen seines Harems.

Wer aber verhörte die Zeugen, entschied einen Streit und legte die Strafe fest? Den Beruf des Richters

ERNTEZEIT
Diese Malerei im Grab des Menena zeigt Bauern und Beamte bei ihrer Arbeit. Unten links sicheln einige Bauern die Ähren ab, andere bringen sie in großen Körben zur Tenne. Das Auflesen der Ähren war eine Aufgabe der Kinder, zwei von ihnen raufen sich jedoch anstatt zu arbeiten.

In der Mitte rechts treten Rinder das Korn aus. Anschließend wird das Getreide geworfelt, also hochgeworfen, damit die leichteren Verunreinigungen im Wind fortfliegen. Die Männer tragen weiße Kopftücher, um ihre Haare gegen den Staub zu schützen. Links davon steht Menena, der Felderschreiber des Königs, im Schatten einer Laube. Ein Bauer bringt in unterwürfiger Haltung Getränke, um den hohen Herrn milde zu stimmen. Die Schreiber des Menena notieren, wie viel Getreide als Steuer abgeliefert wird.

Oben links sehen wir einen der Feldmesser mit seinen Stricken. Er misst die Größe des diesjährigen Getreidefeldes, damit die Höhe der Steuern berechnet werden kann.

Malerei im Grab des Menena, Theben, 18. Dynastie.

Die Göttin Ma' at, Theben, 19. Dynastie.

DIE GÖTTIN MA'AT verkörpert Wahrheit und Gerechtigkeit. Menschen und Götter sind auf Ma'at angewiesen, weil sie alles richtig lenkt. Ma'at ist auch das rechte Maß, also nicht zu viel und nicht zu wenig. Wer sich als Mensch an die Ma'at hält, dem wird es gut ergehen, in diesem wie auch im jenseitigen Leben.

Darstellung geköpfter Verbrecher, Grab Ramses VI., Theben, Tal der Könige. Die Henker sind in diesem Falle Götter, die Verbrecher sind Verdammte, die in der Unterwelt bestraft werden.

gab es nicht. Seine Aufgabe übernahmen Richterkollegien, die an vielen Orten Ägyptens bestanden. Zu einer solchen Richtergruppe gehörten die höheren Beamten, Priester und andere Personen, die wegen ihres Berufes und ihrer Erfahrung geeignet erschienen. Die weniger schweren Fälle entschied das örtliche Richterkollegium, die schweren Verbrechen jedoch wurden dem „Großen Richterkollegium" vorgelegt, dem auch der Wesir angehörte.

Die Entscheidung eines örtlichen Richterkollegiums konnte zum Beispiel lauten: „Die Partei A ist im Recht, die Partei B ist im Unrecht".

In einem Fall hatte der Arbeiter Menna den Wasserträger Tscha angeklagt, weil der ihm einen lahmen Esel verkauft hatte. Tscha wurde für schuldig befunden und musste dem Menna entweder einen besseren Esel geben oder den Kaufpreis zurückerstatten. In anderen Fällen musste der Schuldige einen Eid schwören, sein Vergehen in Zukunft nicht mehr zu wiederholen.

Wenn das „Große Richterkollegium" schwere Fälle untersuchte, dann konnte es auch Prügel anordnen, um ein Geständnis zu erzwingen. War die Schuld erwiesen, dann waren harte Strafen möglich. Dazu gehörten die Verbannung an einen fernen Ort, Zwangsarbeit im Steinbruch, Hiebe mit blutenden Wunden, das Abschneiden von Zunge, Nase, Ohren, Händen oder sogar die Todesstrafe, z. B. durch Abschneiden des Kopfes. Doch wie auch immer das Richterkollegium entschied, es musste sich an Wahrheit und Gerechtigkeit halten.

Die Gräber der Pharaonen

Das Wahrzeichen Ägyptens sind die Pyramiden, und jeder denkt dabei an die drei großen Pyramiden von Gisa. Doch kennen wir insgesamt einige Dutzend Pyramiden, die an vielen Orten errichtet wurden, vom ersten Katarakt bis zum Delta. Besonders viele stehen auf dem Westufer des Nils, gegenüber den heutigen Städten Kairo und Heluân. Nach Größe und Form gibt es zwischen den einzelnen Pyramiden deutliche Unterschiede. Den Anfang bilden die Stufenpyramiden. Die erste von ihnen hat König Djoser errichten lassen. Sie hat sechs Stufen und ist 60 m hoch. Die erste Pyramide mit glatten Seitenflächen stammt von König Snofru, Anfang der 4. Dynastie. Einige der kleinen Stufenpyramiden des frühen Alten Reiches sind keine Gräber, sondern Zeichen königlicher Macht, denn sie enthal-

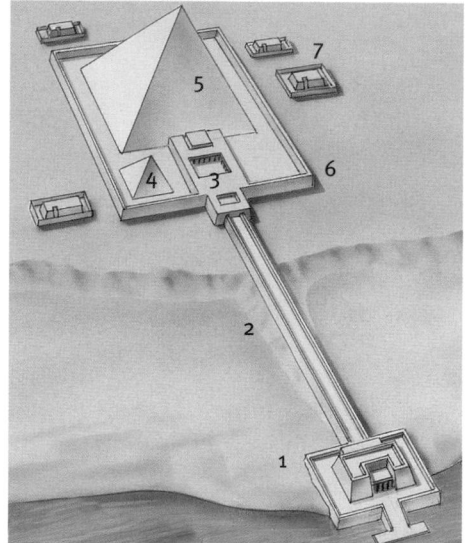

Schematische Darstellung einer Pyramidenanlage:
1. Taltempel
2. Aufweg
3. Totentempel
4. Nebenpyramide (einer Königin)
5. Pyramide
6. Umfassungsmauer
7. Mastabas (Gräber) von Familienangehörigen und hohen Beamten.

ten in ihrem Inneren keine Grabräume. Die meisten anderen Pyramiden des Alten und Mittleren Reiches gehören zur Grabanlage eines ägyptischen Königs. Sie bergen in ihrem Inneren mehrere Gänge und Kammern. In einer der Kammern befindet sich der steinerne Sarg, in dem einst die Mumie des Pharao lag. Keine der königlichen Mumien aus dieser Zeit ist bisher gefunden worden.

Die Barke mit der Mumie des Königs ist gerade beim Taltempel angekommen. Von hier führt der Aufweg zum Totentempel, der an die Ostseite der Pyramide grenzt.

DIE DREI PYRAMIDEN

Die kleinste der drei großen Pyramiden von Gisa hat König Mykerinos errichten lassen (66 m hoch), Chefren die mittlere (144 m) und Cheops die größte (147 m). Die mittlere wirkt nur deshalb größer, weil sie auf höherem Gelände steht. Gut zu erkennen sind die einzelnen Schichten der Steinblöcke, so dass die Außenflächen der Pyramiden heute wie riesige, steile Treppen wirken. Lediglich an der Spitze der Chefren-Pyramide hat sich ein Rest der einstigen Verkleidung erhalten, die aus feinem Kalkstein besteht. Als die Verkleidung noch ganz vorhanden war, leuchteten die weißen Seitenflächen der Pyramiden weithin, und in ihren vergoldeten Spitzen spiegelte sich die Sonne Ägyptens.

Die drei großen Pyramiden von Gisa, das Wahrzeichen Ägyptens. Im Vordergrund sieht man drei wesentlich kleinere Pyramiden, sie gehören zum Pyramidenbezirk des Pharao Mykerinos.

Wie wurde ein Pharao bestattet?

Von der 4. Dynastie an gehören zur Grabanlage des Königs nicht nur die Pyramide, sondern der Taltempel, der Aufweg und der Totentempel. Der Taltempel liegt im Osten der Pyramide und ist der monumentale Eingang zum Pyramidenbezirk. Vor ihm liegt eine Anlegestelle für Schiffe, die vom Nil aus über einen Kanal bis zu den Pyramiden fahren konnten. Am Tage des Begräbnisses brachte ein Schiff die Mumie des verstorbenen Pharao zum Taltempel. Im Taltempel befanden sich bereits viele Standbilder des Königs. Vor ihnen und vor der Mumie des Pharao wurden zaubermächtige Sprüche laut vorgelesen und Zeremonien durchgeführt, welche die Wiedergeburt und das ewige Weiterleben des Königs garantierten.

Dann trugen Priester die Mumie aus dem Taltempel hinaus und gelangten zum Aufweg. Dieser war von hohen Mauern begrenzt und überdacht, so dass von außen niemand das Geschehen beobachten konnte. Durch einen schmalen Schlitz in der Mitte der flachen Decke fiel etwas Licht auf den Weg und ließ die Priester mit sicherem Schritt vorangehen. Sie gingen eine lange Strecke bergan, vom Tal hinauf zum Rand des Wüstengebirges.

Am Ende des Aufweges erreichten sie den Totentempel. Dort gelangten sie in einen offenen Hof, den viele Pfeiler säumten. An seiner Westseite befanden sich Standbilder des Königs, unter anderem in seiner Erscheinung als Osiris, als König von Oberägypten und als König von Unterägypten. Nach Westen hin schloss sich eine Kapelle an.

Dorthin gingen die Priester aber nicht. Sie hielten sich rechts und trugen die Mumie aus dem Totentempel hinaus. Nun befanden sie sich bereits am Fuße der Pyramide, in einem breiten Gang, den eine Mauer nach außen begrenzte. Sie wandten sich weiter nach rechts, und ihr Ziel war die Nordseite der Pyramide, wo sich der Eingang befand. Sie betraten die Pyramide, trugen die Mumie durch lange Gänge und Vorkammern bis in die Sargkammer und bestatteten sie dort. Abschließend versperrten Arbeiter die Gänge im Inneren mit Steinen und verschlossen den Eingang. Kein Sterblicher durfte die Pyramide jemals wieder betreten, denn in ihr sollte die Mumie des Pharao ungestört und unbeschädigt bis in alle Ewigkeit ruhen.

Täglich versorgten die Totenpriester den verstorbenen König mit Nahrung. Vom Taltempel aus brachten sie die Getränke und Speisen über den langen Aufweg bis in den Totentempel. Im offenen Hof sprachen sie die wirksamen Sprüche, die den König zu einem Gott machten und sein ewiges Weiterleben garantierten. Dann schritten sie nach Westen bis zur Kapelle und stellten die Speisen vor einer Scheintür ab.

Sie riefen den König mit folgenden Worten zum Essen: „O du König da, wisse, du sollst dir nehmen dieses dein Gottesopfer, damit du dich daran sättigst an jedem Tage, Tausende von Broten, Tausende von Bier, Tausend Stück vom Rindfleisch, Tausende von Gänsen, Tausende von allen süßen Dingen". Dann warteten sie eine Zeit, bis der König aus dem Inneren der Pyramide durch diese Scheintür gekommen war und sich gesättigt hatte. Die „restlichen" Speisen nahmen sie wieder mit.

In der Nähe der Pyramiden befinden sich große, mit Stein ausgekleidete Gruben, in denen man Schiffe „beerdigt" hatte. Zwei der Schiffe dienten dem König vielleicht zur Überquerung des Himmels. Er war ja der Sohn des Sonnengottes Re und fuhr mit seinem Vater täglich von einen zum anderen Horizont. Andere Schiffe sollten dem König im Jenseits weiter dienen, denn er hatte sie wohl zu Lebzeiten benutzt, und in einem von ihnen war seine Mumie zur Pyramide gebracht worden.

Was ist denn nun eine Pyramide? Sie ist ein Grabmal, denn in ihr ruht die Mumie eines Königs. Mit ihrer gewaltigen Höhe strebt sie zum Himmel, und vielleicht sollte sie dem König den Aufstieg dorthin erleichtern. Die Spitze der Pyramide war vergoldet und lenkte die belebende Kraft der Sonne zur Pyramide und zum Leib des Königs, der in ihr ruhte. Außerdem war die vergoldete Spitze in diesem Gebiet der höchste

DIE SCHEINTÜR ist die Abbildung einer Tür. Sie wird in die Wand eines Grabes eingemeißelt und ist oft prächtig ausgestaltet. Durch die Scheintür, so glaubte man besonders im Alten Reich, kam der Verstorbene aus der Unterwelt zurück, um seine Opfergaben zu empfangen.

DAS INNERE der Cheopspyramide enthält etliche Gänge und Kammern. Nach dem Einstieg führt ein Gang etwa 100 m schräg abwärts bis in eine Kammer, die im gewachsenen Fels liegt (S1). Wenn man vorher (bei a) abbiegt, gelangt man zum Eingang der großen Halle und von dort waagerecht in eine weitere Kammer (S2). Steigt man die hohe Halle hinauf, erreicht man eine dritte Kammer (S3). In ihr steht noch heute die Wanne des Sarges, in dem einst Pharao Cheops lag. In der Sargkammer öffnen sich zwei Luftwege, welche die Außenflächen der Pyramide erreichen. Diese Öffnungen waren nur 15x20 cm groß und dienten vielleicht der frei beweglichen Seele (ägyptisch: Ba) des Königs zum Aufstieg an den Himmel.

Wozu die Kammern S1 und S2 dienten, konnte noch nicht überzeugend geklärt werden. Vielleicht hat Cheops sie in seinen jüngeren und mittleren Lebensjahren anlegen lassen, um nicht bei einem eventuell frühen Tod ohne angemessenes Grab zu sein.

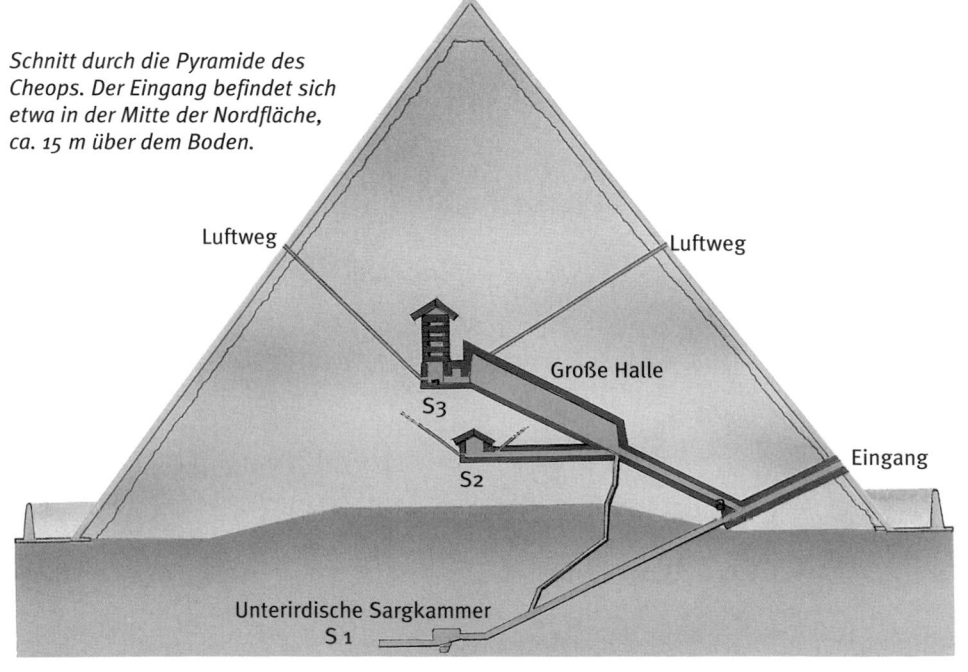

Schnitt durch die Pyramide des Cheops. Der Eingang befindet sich etwa in der Mitte der Nordfläche, ca. 15 m über dem Boden.

Luftweg

Luftweg

Große Halle

S3

S2

Eingang

Unterirdische Sargkammer
S 1

Der Sphinx von Gisa. Aus einem einzigen Block wurde dieses monumentale Abbild des Königs geformt. Es misst vom Boden bis zum Scheitel 20 m, von den Pranken bis zum Schwanz 74 m.

EINE RECHENAUFGABE
(aus der Zeit um 1800 v. Chr.):
„Beispiel für das Bestimmen einer Pyramide, 360 Ellen an ihrer Grundkante, 250 an ihrer Höhe. Lass mich das Maß ihrer Neigung wissen. Dann halbierst du 360. Das werden dann 180. Dann dividierst du 180 durch 250. Dann ergeben sich 1/2+1/5+1/50 einer Elle."

Die Antwort, in unserer Schreibweise 18/25 Elle, ist richtig; auf der Höhe einer senkrechten Elle über der Grundkante neigt sich die Fläche der Pyramide um 18/25 einer waagerechten Elle nach innen. Eine Elle beträgt ca. 52,5 cm.

Punkt und spiegelte funkelnd das letzte und das erste Sonnenlicht eines jeden Tages. Damit verkündete sie am Abend und am Morgen weithin sichtbar die beiden Augenblicke, an denen der Sonnengott Re diese Welt am Horizont verließ und wieder betrat. Auch der König saß in der Sonnenbarke seines Vaters Re und fuhr mit ihm über den Himmel. So zeigte die Pyramide den Ägyptern, dass ihr König zwar verstorben, aber nicht vergangen war, weil er täglich zu ihnen zurückkehrte. „Horizont des Cheops" lautete der Name der größten Pyramide Ägyptens.

Die Antwort ist nicht so schwer, wenn man an die kleineren Pyramiden denkt und an solche, die aus Nilschlammziegeln oder leichten Steinen gebaut wurden. Die Frage kann aber nicht mit Sicherheit beantwortet werden, wenn wir sie für die Pyrami-

Wie wurde eine Pyramide gebaut?

de des Pharao Cheops stellen. Jeder Stein dieser Pyramide wiegt nämlich im Durchschnitt mehr als zwei Tonnen, also 2000 kg. Und es sind etwa zweieinhalb Millionen Steine, die übereinander geschichtet wurden, bis die Höhe von 147 m erreicht war. Außerdem gibt es im Inneren einzelne Granitblöcke, die ungefähr 200000 kg, also 200 Tonnen wiegen.

Deshalb dürfen wir aber nicht annehmen, wie einzelne „Forscher" immer wieder behaupten, dass diese Pyramide Jahrtausende vor dem Alten Reich von Göttern oder Raumfahrern erbaut wäre und dass sie allerhöchstes Geheimwissen enthielte. Denn es gibt Papyri, die beweisen, dass schon im Mittleren Reich die Kantenlänge, die Höhe oder der Böschungswinkel einer Pyramide angegeben oder berechnet wurden. Aus derselben Zeit besitzen wir das Modell der unterirdischen Gänge und Kammern einer Pyramide. Zu den Werkzeugen des Alten Reiches, die man gefunden hat, gehören zum

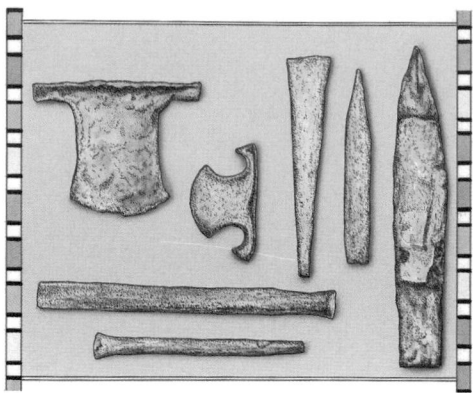

Einige Werkzeuge, mit denen die Steine der Pyramiden bearbeitet wurden. Die Geräte bestanden aus gehärtetem Kupfer, Bronze kam erst im Mittleren Reich in Gebrauch.

Beispiel Hämmer, Meißel und Sägen, aber kein Rad und kein Flaschenzug; den Schlitten kennt man aus Abbildungen und Funden. Also muss man einsehen, dass die Pyramide nicht von überirdischen Wesen gebaut wurde, sondern von Menschen, mit ihren Berechnungen, Plänen und Werkzeugen.

Auf einer Rampe, also einem schräg aufwärts führenden Weg aus Nilschlammziegeln und anderem Material, schleppen die Arbeiter mit Hilfe von Schlitten Steinblöcke auf die in die Höhe wachsende Pyramide.

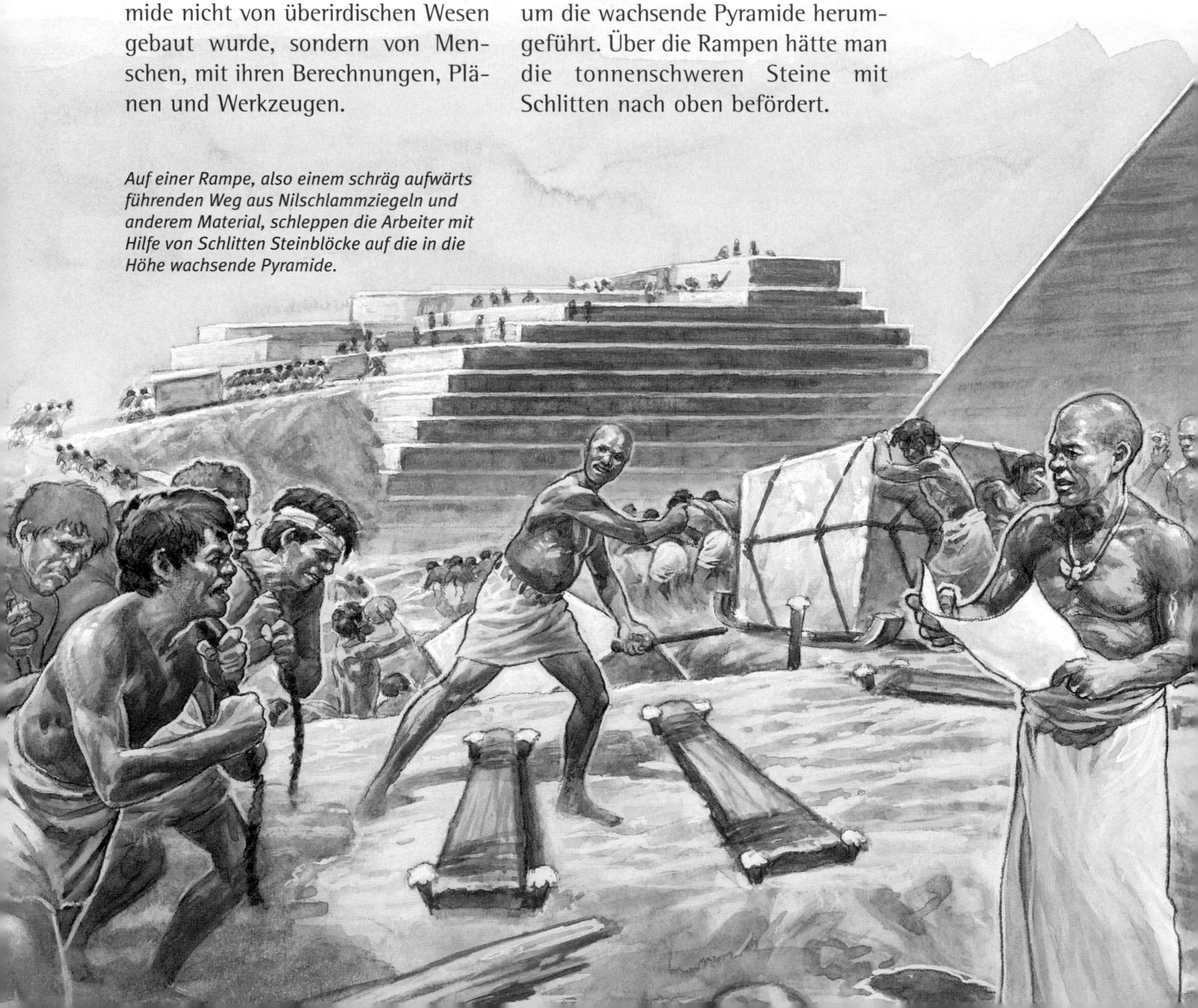

Wie aber konnte man mit derartig einfachen Werkzeugen ein solch gewaltiges Gebäude errichten? Man weiß es leider nicht genau. Es wurden aber Theorien aufgestellt, die angaben, wie man die Pyramide gebaut haben könnte. Von diesen sind am ehesten glaubwürdig die Rampen-Theorien, weil man Reste von Rampen in der Nähe von Pyramiden und anderen hohen Bauten gefunden hat. Nach einer der Rampen-Theorien hätte man bis zu einer Höhe von etwa 30 m mehrere kleinere Rampen gebaut, die rechtwinklig auf die Pyramide zuliefen. Anschließend hätte man eine große Rampe an die Pyramide angelehnt, mit ihr wachsen lassen und sie dabei um die wachsende Pyramide herumgeführt. Über die Rampen hätte man die tonnenschweren Steine mit Schlitten nach oben befördert.

ARBEIT AM BAU

Die Werkzeuge gehörten Steinmetzen, die ihren Beruf ständig ausübten. Für Hilfsarbeiten wurden zeitweilig die Bauern herangezogen. Wer beruflich beim Bau der Pyramiden mitwirkte, erhielt seinen Lohn; die anderen betrachteten die Arbeit als Dienst für ihren König und Gott, wieder andere wurden vielleicht gezwungen.

Die Himmelsgöttin Nut steht vornübergebeugt auf Händen und Füßen. Der Sonnengott wird am Morgen als geflügelter Käfer aus dem Leib der Nut geboren (links), fährt am Tage in seinem Schiff über den himmlischen Nil und verschwindet am Abend im Mund der Himmelgöttin (rechts). Viele Gottheiten begleiten das Geschehen. (Eine Darstellung im Grabe Ramses VI., Theben, Tal der Könige.)

Gibt es andere Königsgräber als die Pyramiden?

In den ersten beiden Dynastien, also vor der Zeit der Pyramiden, werden die Könige in anderen Gräbern bestattet. Diese bestehen aus großen, rechteckigen Gruben, über denen man einen flachen Hügel oder einen größeren Oberbau anlegt. Zahlreiche Nischen gliedern die Außenflächen der Oberbauten. Die eigentliche Grabkammer liegt im Zentrum der Grube. Weil das Grab als Wohnhaus für die Ewigkeit gedacht ist, enthält es viele Kammern mit Vorräten. Sogar ein Bad kann dazugehören.

Im Neuen Reich, also nach der Pyramidenzeit, lassen sich die Könige nicht mehr in der Nähe von Memphis bestatten, sondern in Theben. Auf der Westseite des Nils werden ihre Gräber in einem einsamen Wüstental aus dem Fels gemeißelt. Man schlägt eine Treppe aus dem Gestein, senkt einen langen Gang schräg abwärts und erweitert ihn zu einer Kammer. Es folgen im Wechsel weitere Gänge und Kammern, bis man schließlich tief im Inneren des Berges die Sargkammer und ihre Nebenräume anlegt. Einzelne dieser lang gestreckten Gräber führen bis über 200 m in den Fels hinein, und alle Wände und Decken dieser großen Anlagen sind mit religiösen Darstellungen ausgeschmückt. Das „Tal der Könige" nennt man heute diese Stätte, in der 64 Könige der 18. bis 20. Dynastie

Am Fußende des Sarges von Thutmosis IV. steht die Göttin Isis mit erhobenen Armen und verheißt dem verstorbenen König unversehrte Auferstehung sowie Schutz und Wohlergehen für sein jenseitiges Leben. (18. Dynastie, Theben, Tal der Könige.)

begraben wurden. In einem anderen Wüstental, dem „Tal der Königinnen", ruhten einst zahlreiche Königinnen und Prinzen.

Ins Grab legt man außer der Mumie all die vielen Gegenstände, die der König für sein Weiterleben benötigte: Streitwagen, Waffen, Möbel, Statuetten, Lampen, Gefäße, Kleidung, Schmuck, Salbgefäße, Musikinstrumente, Schreibgeräte und vieles andere mehr. Etliche dieser Gegenstände waren besonders wertvoll, weil sie teilweise oder ganz aus Gold gefertigt waren.

Die Totentempel, die im Alten und Mittleren Reich an die Pyramide grenzten, befinden sich aber jetzt nicht mehr beim Grab. Vielmehr werden sie weitab von diesen Wüstentälern am Rande des Fruchtlandes errichtet. In ihnen gibt es nur noch wenige Räume, in denen der König verehrt und versorgt wird. Der weitaus größere Teil des jeweiligen Tempels gehört dem Gott Amun.

Als widderköpfige Mumie steht der Sonnengott Re in der Mitte. Die Göttinnen Isis (rechts) und Nephthys halten ihn. Wenn Re am Abend untergegangen ist, verbindet er sich in dieser Gestalt mit Osiris, dem Herrn der Unterwelt. Dabei gewinnt er neue Kraft, um am Morgen wieder aufzugehen. Darstellung im Grab der Königin Nefertari, der Gemahlin Ramses' II. (Theben, Tal der Königinnen.)

Was wissen wir über Grabräuber?

Man fragt sich, warum Grab und Totentempel jetzt voneinander getrennt werden. Die Antwort liegt nahe: Die Grabräuber waren allzu dreist und erfolgreich geworden, und man musste neue Wege finden, um die Grabanlagen der Pharaonen vor ihnen zu schützen. So legt man die Gräber nun in diesen einsamen Wüstentälern an und verschließt ihre Eingänge sorgfältig. Die Arbeiter und Künstler, welche die Gräber anlegen und dekorieren, leben in einer nahe gelegenen Siedlung, die wir heute Deir el-Medina nennen. Sie werden in der Regel gut versorgt und entlohnt, aber sie dürfen das Dorf nicht verlassen, damit sie die Lage der Königsgräber nicht verraten können.

Doch all dies kann die Grabräuber nicht aufhalten, nicht einmal eine spezielle Polizeitruppe, die das gefährdete Gebiet bewacht. Besonders gegen Ende der 20. Dynastie werden Königsgräber geplündert. Der Polizei gelingt es hin und wieder, Räuber zu fassen und anzuklagen. Die gerichtlichen Protokolle, die man während einer längeren Untersuchung niedergeschrieben hatte, wurden aufgefunden. Auf einem Papyrus kann man das Geständnis der Räuber lesen: „Wir nahmen uns die Grabbeigaben, die an ihnen waren, die Sachen aus Gold, Silber und Bronze, und verteilten sie unter uns. Wir teilten das Gold, das wir bei diesen beiden Königen und Göttern ge-

THEBENS KÖNIGSGRÄBER

Bunte Darstellungen überziehen die Wände und Decken in den Königsgräbern Thebens. Die meisten von ihnen beschreiben auf immer wieder andere Art die nächtliche Fahrt des Sonnengottes durch die Unterwelt. Dieser muss, entsprechend den zwölf Stunden der Nacht, zwölf bewachte Tore und zwölf Gebiete durchziehen, bis er am nächsten Morgen wieder aufgeht. Dann wird auch der verstorbene König die Unterwelt verlassen, gemeinsam mit dem Sonnengott.

funden hatten, ... in acht Teile, für jeden von uns 20 Deben". Jeder der Räuber erhielt also etwa 2 kg Gold.

Auf Grabraub stand die Todesstrafe, aber die Versuchung war wegen der Aussicht auf reiche Beute sehr groß. Die Grabbeigaben des Königs Tutanchamun zeigen nämlich, welch riesige Mengen an Gold in einem Grab liegen konnten. Dieses Grab wurde erst 1922 entdeckt, mit all seinem Inhalt. Die alt-ägyptischen Grabräuber waren vielleicht schon vorher ins Grab eingedrungen, aber man hatte sie wohl gestört. Nachdem die Wächter das Grab wieder versiegelt hatten, wurde es bis in unsere Tage von keinem Räuber entdeckt.

Die Königsgräber, die in den gerichtlichen Protokollen genannt werden, gehörten Pharaonen älterer Zeit, die noch nicht im Tal der Könige bestattet worden waren. Das Tal selbst wurde anfangs nur selten, später aber häufiger geplün-

Eine Halskette aus dem Grab des Tutanchamun.

dert, und zwar zu einer Zeit, als auch die Wächter mit den Räubern gemeinsame Sache machten. Schließlich, in der 21. und 22. Dynastie, ließen Hohepriester die Mumien der Könige aus ihren Gräbern holen, einerseits, um sie zu schützen, andererseits wohl auch, um an das viele Gold der Grabbeigaben zu gelangen. Zunächst sammelte und versteckte man die Mumien in einigen wenigen Königsgräbern, dann aber größtenteils im schwer zugänglichen Familiengrab eines Hohenpriesters. Dort ruhten sie in Frieden, bis sie gegen Ende des vergangenen Jahrhunderts von modernen Grabräubern und Ägyptologen entdeckt wurden. Heute befinden sich die Mumien der Pharaonen im Museum der Stadt Kairo. Nur diejenige des Tutanchamun liegt wieder in der Grabkammer dieses Herrschers im Tal der Könige.

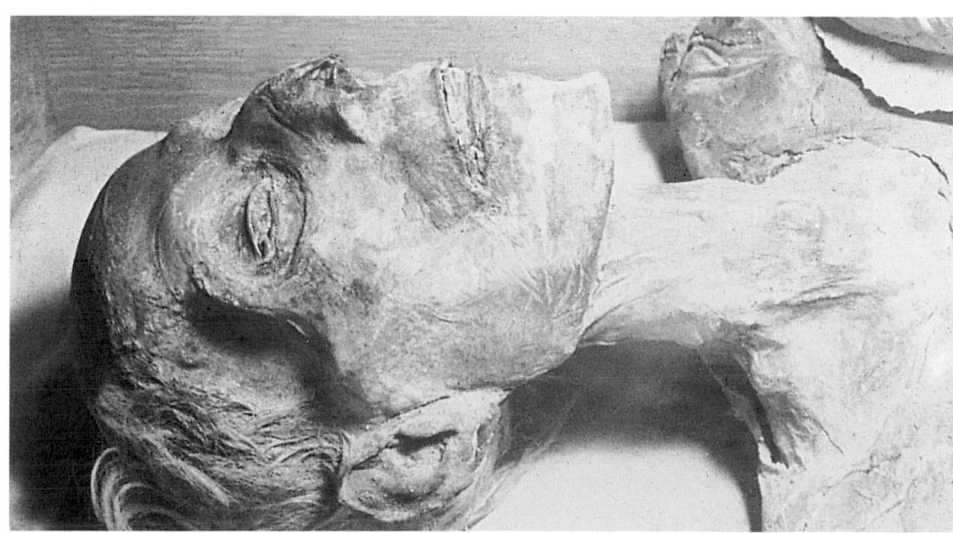

Die Mumie Ramses' II. wurde erst im Jahre 1881 im Familiengrab des Hohenpriesters Pinodjem II. entdeckt. Ramses II. hat ein Alter von über 80 Jahren erreicht. Die medizinische Untersuchung seines Körpers ergab, dass der König in seinen späten Jahren an starken Altersbeschwerden gelitten hat.

Die altägyptische Religion

Wie viele Götter gab es?

Die alten Ägypter verehrten sehr viele Gottheiten. Die genaue Anzahl kann niemand nennen. Es gab große und kleine Gottheiten, Dämonen, göttliche Tiere und göttliche Gegenstände. Viele Götter wurden vor allem in einem bestimmten Gebiet oder in einer bestimmten Stadt angebetet.

Einige Gottheiten waren jedoch in ganz Ägypten hoch angesehen, zum Beispiel Ptah, der Schöpfergott, Re, der Gott der Sonne, Schu, der Gott der Luft, Nut, die Göttin des Himmels, Geb, der Gott der Erde, Hathor, die Göttin der Liebe und Musik, Min, der Gott der Fruchtbarkeit, Isis, die treu sorgende Gemahlin und Mutter, Month, der Gott des Sieges, Thot, der Gott der Wissenschaft und Weisheit, Horus, der Herr des Himmels und Gott des Königtums, Amun-Re, der Urgott, oder Osiris, der Herr des Totenreiches.

All diese Götter erschienen entweder in der Gestalt eines Menschen, eines Tieres oder in Menschengestalt mit Tierkopf; auch erkannte man sie in den Wesen und Dingen dieser Welt. So zeigte sich Amun auch als Widder oder als Gans, Horus als Falke, Thot als Ibis, Month als Stier, Hathor als Kuh oder als Baum, Nut als Himmelsgewölbe oder Re als Sonne. Doch kein kluger Ägypter hätte jemals gedacht, die Sonne wäre Re. Nein, er wusste, dass Re viel mehr war, dass er sich in der Sonne nur zeigte, so wie in tausend anderen Dingen und Wesen. Ebenso waren die anderen Götter unend-

lich viel mehr als die Tiere, Pflanzen und Dinge, in denen sie für die Menschen sichtbar wurden, damit diese sie verehren konnten.

Auf der anderen Seite waren die Tiere, in denen die Götter sich zeigten, in einer bestimmten Weise göttlich. Darum wurden auch sie verehrt, nach ihrem Tode mumifiziert und in Tierfriedhöfen mit allen Zeremonien bestattet. Die Verehrung heiliger Tiere hat im Laufe der Zeit immer mehr zugenommen.

Manche Texte wenden sich nur an einen einzigen Gott, so wie dieses Gebet, das Pharao Ramses III. persönlich verfasst hat:

„Gegrüßt seiest du, der du groß und uralt bist, Tatenen, Vater der Götter, du ältester Gott des Anbe-

THOERIS ist eine Schutzgöttin, die besonders den Müttern bei der Geburt hilft. Sie ist ein Mischwesen mit dem Kopf eines Nilpferdes, den Armen und dem Leib einer Frau, den Tatzen eines Löwen und dem Rücken und Schwanz eines Krokodils.

Re-Harachte, der Sonnengott, mit dem Kopf eines Falken. Mit seiner Sonnenscheibe bestrahlt er die Dame Tanetperet, die für ihn den Opfertisch reich gedeckt hat. Theben, 3. Zwischenzeit.

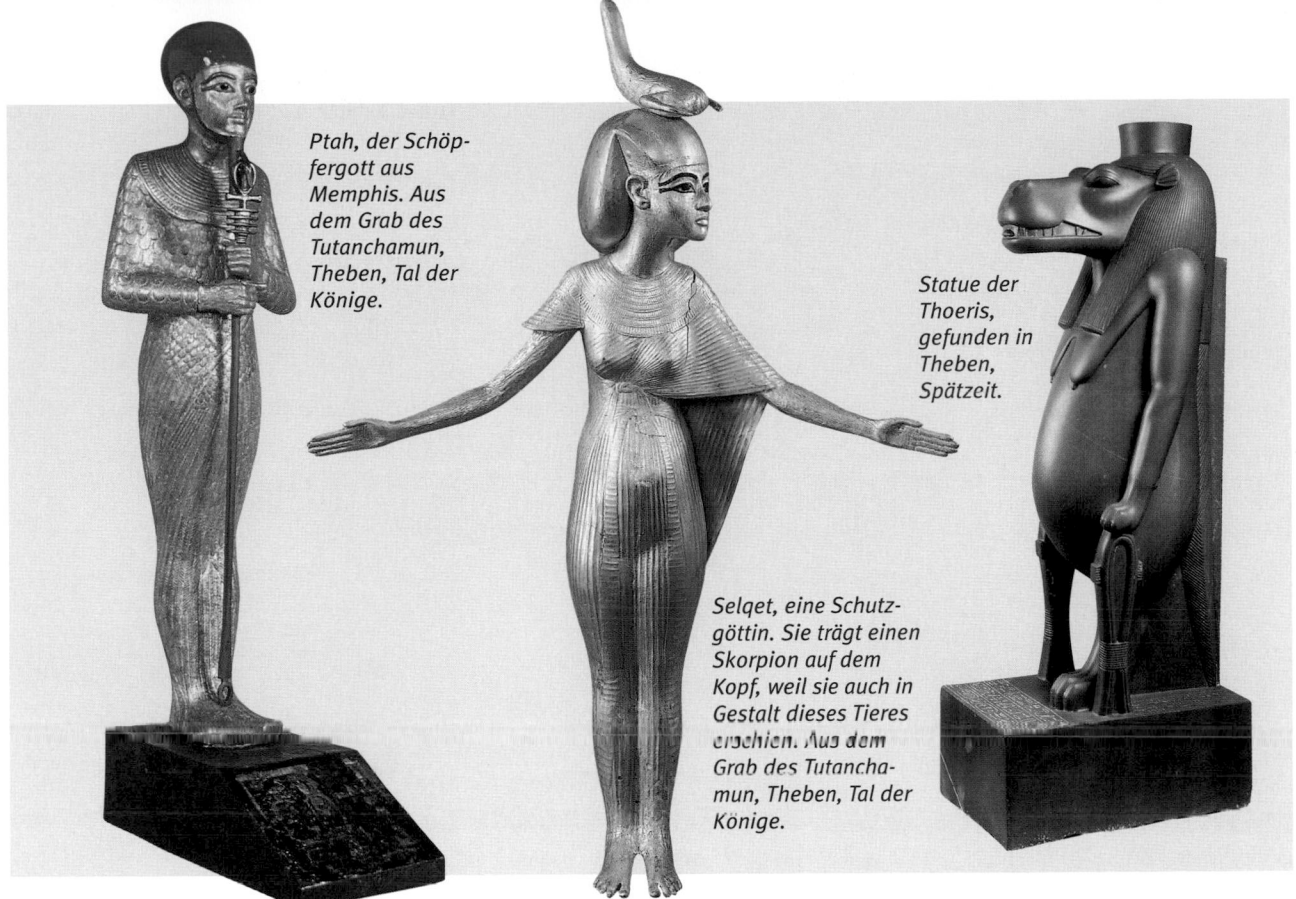

Ptah, der Schöpfergott aus Memphis. Aus dem Grab des Tutanchamun, Theben, Tal der Könige.

Statue der Thoeris, gefunden in Theben, Spätzeit.

Selqet, eine Schutzgöttin. Sie trägt einen Skorpion auf dem Kopf, weil sie auch in Gestalt dieses Tieres erschien. Aus dem Grab des Tutanchamun, Theben, Tal der Könige.

GEBET

Ein Schreiber namens Amenemope spricht sein Gebet mit folgenden Worten:

„O mein Gott, Herr der Götter, Amun-Re, Herr von Karnak, gib mir die Hand, errette mich, gehe auf für mich, damit du mir Leben gibst. Du bist der eine Gott, dem kein anderer gleichkommt, der Re ist, welcher am Himmel aufgeht,... der Fische und Vögel am Leben erhält, der für die Mäuse sorgt in ihren Höhlen, und auch für die Würmer und Flöhe."

Für den Schreiber Amenemope steht Amun-Re über allen anderen Göttern, er sorgt für alle Lebewesen der Welt bis hin zum geringsten und er wird sich auch um die Not des Amenemope kümmern.

ginns, der die Menschen formte und die Götter schuf, der das Werden begann als erster Urgott, – alles, was hervorkam, entstand nach ihm". Ramses III. betet zu einem allmächtigen Gott, Tatenen, der die Welt, die anderen Götter und die Menschen geschaffen hat.

Man erkennt, dass die alten Ägypter beides zugleich verehrten, viele verschiedene Götter und einen einzigen allmächtigen Gott. Die vielen Götter fanden sie überall in Ägypten, und diese achteten sie hoch. Den einen Gott aber erkannten sie in ihrer Nähe, und dieser war im Moment des Gebetes für sie alles.

Wenn ein Ägypter beten wollte,

Wo wurden die Götter verehrt?

konnte er es dort tun, wo er gerade war, im Ausland, in der Wüste, auf dem Wasser, unter einem Baum, in seinem Haus; er erreichte seinen Gott überall. Aller-

dings betete er am liebsten in der Nähe des Tempels, vor der Tempelmauer, am Tempeltor oder in einem Vorhof. Die inneren Räume des Tempels durfte er jedoch nicht betreten. Der Tempel war nämlich keinesfalls der Ort, an dem sich die Menschen zu einem gemeinsamen Gottesdienst versammelten, so wie es uns von den christlichen Kirchen vertraut ist. Vielmehr war der Tempel der Ort, an dem der König und die Priester mit Opfern und Gebeten die Hilfe der Götter erwirkten. Der oberste Priester in allen Tempeln Ägyptens war der Pharao, der natürlich zumeist von einem Priester vertreten wurde.

Der König ließ in seinem Namen dem Gott oder der Göttin den Tempel errichten. Darin opferte er vor dem Standbild der Gottheit Speisen und Getränke, er verbrannte Weihrauchkügelchen und goss kühlendes Wasser aus, schenkte dem Gott Kleidung, Schmuck, Salbe, frische Blumen und vieles andere mehr. Ohne

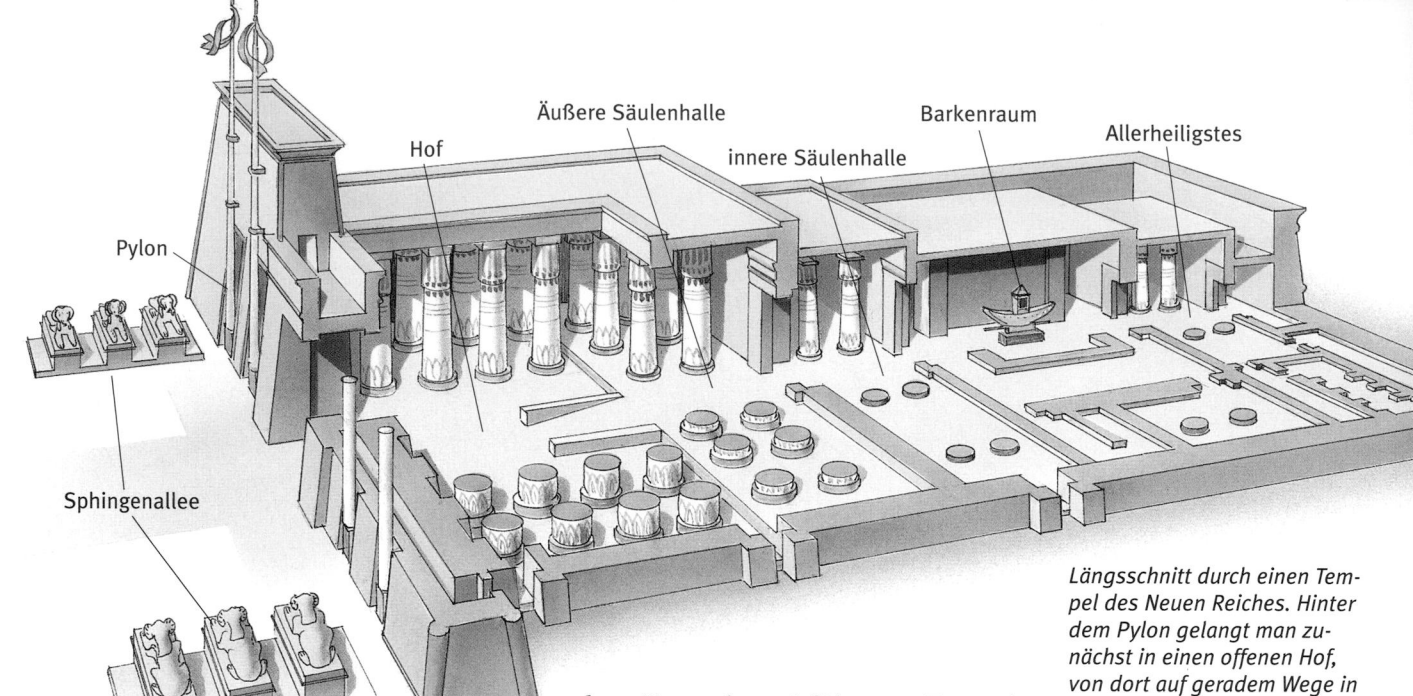

Pylon

Hof

Äußere Säulenhalle

innere Säulenhalle

Barkenraum

Allerheiligstes

Sphingenallee

Längsschnitt durch einen Tempel des Neuen Reiches. Hinter dem Pylon gelangt man zunächst in einen offenen Hof, von dort auf geradem Wege in eine äußere Säulenhalle, eine innere Säulenhalle, weitere Räume und dann erst in das Allerheiligste, das also tief im Inneren des Tempels liegt, dort, wo nur Priester Zutritt haben.

den Tempel und ohne den König, der darin den Göttern opferte, war das Land verloren – davon waren die alten Ägypter zutiefst überzeugt. Die Götter nämlich schenkten dem König als Gegengabe Sieg über die Feinde Ägyptens und Nahrung für sein Volk, Glück, Gesundheit und ewiges Leben.

Das Leben auf der Erde war für die alten Ägypter nur eine rasch vorübergehende Zeit, das wirkliche und ewig währende Leben begann erst nach dem Tode. Deshalb nannten sie das Grab auch „das schöne Haus für die Ewigkeit". Darin lebten sie aber nicht alleine, denn sie glaubten fest daran, dass sie ihre verstorbenen Angehörigen in der jenseitigen Welt wiederfinden würden. Auch mit ihren noch lebenden Angehörigen trafen sich die Verstorbenen mindestens einmal im Jahr. Dann kamen die Lebenden zu den Friedhöfen, in einer großen Prozession, bei der sie Götterstatuen aus

Glaubten die Ägypter an ein Weiterleben nach dem Tode?

den Tempeln mitführten. Dort, in der Totenstadt, feierten die Lebenden und die Toten gemeinsam das „Schöne Fest vom Wüstental", ein großes Fest, mit Musik, Essen und Trinken und in Erinnerung an die Verstorbenen. So geschah es jedenfalls im Neuen Reich in Theben, im zehnten Monat des Jahres.

Die Verstorbenen in ihren Gräbern waren darauf angewiesen, dass die Lebenden sie mit Opfergaben und Gebeten versorgten. Deshalb

Der Ba-Vogel des Verstorbenen hat das Grab verlassen. (Totenbuch des Maiherperi, Theben, 18. Dynastie.)

stehen in den Gräbern Texte, in denen der Grabinhaber die Vorübergehenden mit diesen oder ähnlichen Worten anredet: „O ihr Lebenden, die ihr noch seid, die ihr das Leben liebt und das Sterben hasst, die ihr vorbeikommen werdet an diesem Grab! ... Ihr möget mir opfern von dem, was in eurer Hand ist. Wenn ihr nichts habt, dann sollt ihr sagen mit eurem Munde: ,Tausend an Brot, Bier, Rindfleisch, Geflügel .... für den seligen Verstorbenen ...'".

Mit dem Tode wurden die Verstorbenen mächtiger, als sie es zu Lebzeiten waren. Sie wurden beinahe wie die Götter, konnten andere Gestalten annehmen und in vielen Teilen der Welt leben, im Himmel, in der Unterwelt und auch in bestimmten Bereichen dieser Welt. In einem

Frieden zu lassen und ihnen keinen Schaden mehr zuzufügen.

Das Weiterleben im Jenseits war aber nur möglich, wenn der Körper des Verstorbenen in eine Mumie verwandelt wurde, damit er nicht verweste. Denn dann konnte sich im Grab der Ba-Vogel mit der Mumie vereinen, und die Lebenskraft des Ka fand ihren Weg zum Verstorbenen zurück.

Eine Darstellung aus dem Totenbuch des Hunefer, 19. Dynastie. Anubis führt Hunefer zur großen Waage und wiegt das Herz. Rechts steht Thot und hält das Ergebnis schriftlich fest. Über dem Untier ist zu lesen: „Die Totenfresserin, vorne Krokodil, hinten Nilpferd, in der Mitte Löwe".

DER BA UND DER KA

Wenn ein Mensch gestorben war, so glaubten die Ägypter, entstand aus den Flüssigkeiten seines Körpers der Ba. Dieser hat die Gestalt eines Vogels mit dem Kopf des Verstorbenen. Der Ba ist frei beweglich, kann das Grab verlassen und in die Welt der Menschen zurückkehren. Der Ka hingegen ist eine Art Doppelgänger. Er wird mit dem Menschen geboren und verkörpert seine Lebenskraft.

Text des Totenbuches sagt der Tote: „Geöffnet sind mir die Türflügel des Himmels, geöffnet sind mir die Türflügel der Erde, ..., so dass ich herausgehe am Tage zu jedem Ort, an dem mein Herz sein will". Herausgehen konnte der Verstorbene in Gestalt seines Ba, den man sich als einen Vogel mit Menschenkopf vorstellte.

Die Macht der Toten war so groß, dass sie aus den Gräbern steigen und den Lebenden gefährlich werden konnten, vergleichbar unserer Vorstellung von Gespenstern. Es wurden sogar Briefe gefunden, in denen Lebende an Tote schreiben, mit der Bitte, sie doch zukünftig in

Um den Leichnam in eine Mumie

Was ist eine Mumie?

zu verwandeln, wurde das Gehirn mit metallenen Haken herausgezogen, der Leib aufgeschnitten und die Innereien mit Ausnahme des Herzens entfernt. Anschließend überhäufte man den Leichnam mit Natron, um ihn austrocknen zu lassen. Nach etwa 35 Tagen wurde der ganze Körper mit Leinenbinden eingewickelt, die man mit harzartigen und öligen Substanzen getränkt hatte. Die Länge der Binden konnte einige Hundert Meter betragen, und das ganze

Verfahren der Mumifizierung, zu dem noch viele weitere Handlungen gehörten, dauerte etwa 70 Tage. Das ist nur eine Art der Mumifizierung, neben der es weitere gab, die sich im Laufe der Zeit veränderten und preiswerter oder teurer waren. Eine teure Mumifizierung garantierte aber noch nicht das ewige Leben, denn zuerst musste jeder Verstorbene vor dem Totengericht erscheinen und dort seine Unschuld beweisen.

Was ist das Totengericht?

Wenn das Menschenwerk an der Mumie vollendet ist, legt der Gott Anubis persönlich letzte Hand an, damit die Mumie wieder zum Leben erwacht. Dann erhält der Verstorbene seine irdische Gestalt zurück und wird von Anubis in die Gerichtshalle geführt. Dort erblickt er eine große Standwaage. In einer Waagschale liegt sein Herz, in der anderen eine Feder, das Symbol der

Ma'at, der Wahrheit und Gerechtigkeit. Zum Glück für den Verstorbenen ist die Waage im Gleichgewicht. Das bedeutet, dass alles, was sein Herz gesagt hat, der Wahrheit entspricht. Neben der Waage steht der Gott Thot und schreibt das gute Wiegeergebnis auf.

Wenn der Mensch sich weiter umsieht, erkennt er die 42 Totenrichter, vor denen er beteuern muss, dass er bestimmte Sünden in seinem irdischen Leben nicht begangen hat:

„Ich habe kein Unrecht getan.
Ich habe nicht gestohlen.
Ich war nicht habgierig.
Ich habe keine Menschen getötet...
Ich habe keine Lüge gesagt...
Ich habe keine Unzucht getrieben...
Ich habe keinen Gott beleidigt."

Die Richter glauben seinen Beteuerungen, und deshalb wird ihn die Totenfresserin nicht verschlingen, denn das würde den zweiten Tod und die endgültige Vernichtung bedeuten. So aber wird ihn das Gericht freisprechen, und er darf die

Eine Darstellung aus dem Totenbuch des Hunefer, 19. Dynastie: Vor der großen Stele und dem Grabeingang steht ein Priester und hält die Mumie des königlichen Schreibers Hunefer. Der Priester trägt dabei die Maske des schakalköpfigen Gottes Anubis. Vor der Mumie beklagen zwei Frauen den Tod des Hunefer; eine von ihnen ist seine Ehefrau Nascha. Hinter ihr vollziehen zwei Priester die Zeremonie der Mundöffnung, indem sie mit speziellen Geräten Mund und Augen der Mumie entlangfahren, damit Hunefer wieder sehen und essen kann. Der mit dem Pantherfell bekleidete Priester weihräuchert und bringt eine Wasserspende dar.

Zwei Männer bei der Weinlese. Der linke (ältere) pflückt die Trauben, der rechte sammelt sie ein und trägt sie fort. Malerei im Grab des Nacht, Theben, 18. Dynastie.

der Wesir Rechmire sein großes Büro darstellen. All diese Bilder wollen das Leben ins Grab holen, damit es dort für immer bleibe.

Andere Darstellungen beziehen sich auf das Begräbnis und den Totenglauben. Sie zeigen zum Beispiel den Leichenzug, die Trauer der Angehörigen, den Gott Anubis bei der Mumie, oder sie geben den Verstorbenen wieder, wie er vor den Türen des Himmels steht.

Die Gräber der Reichen enthalten viele Grabbeigaben. Dazu gehören zum Beispiel Betten, Stühle, Truhen, Kleidung, Schmuck, Spiegel, Schminke, Salbe, Waffen, Werkzeug, Spiele, Schreibgeräte, Amulette oder Modelle von Häusern und Werkstätten. Man wollte das ewige Leben genau so weiterführen wie das irdische. Für das Weiterleben wichtig war vom Neuen Reich an auch das Totenbuch, eine Papyrusrolle mit Sprüchen, die den Verstorbenen halfen, die Gefahren der Unterwelt zu überwinden.

Ewigkeit in der Nähe des Osiris verbringen und diesem mächtigen Herrn der Unterwelt dienen.

Welche Bedeutung hatte das Grab?

Das Grab galt nicht als Ort, an dem die Leiche vermoderte, sondern als Haus für das ewige Leben. Es war groß oder klein, gut ausgestaltet oder ärmlich, je nachdem, ob der Verstorbene arm oder reich war. Recht einfache Gräber bestehen aus einer Grube im flachen Gelände oder aus einer kleinen Felskammer. Die Gräber der Reichen haben jedoch viele Räume und sind mit Bildern prächtig ausgeschmückt. An den Wänden sieht man bunte Szenen des täglichen Lebens, aus Landwirtschaft und Handwerk oder aus dem privaten Bereich der Vergnügungen und der Feste. Manche Szenen beziehen sich auf den Beruf des Grabinhabers. So lässt

DAS TOTENBUCH schützte unter anderem vor folgenden Gefahren der Unterwelt: Luftmangel, Hunger, Durst, Gefangenschaft, Aussperrung, Schaden durch Feinde, Diebstahl des Ba-Vogels, Zwangsarbeit, Kopfübergehen, Verwesung, erneuter Tod. Außerdem verlieh es dem Verstorbenen die Fähigkeit, sein Grab zu verlassen, um wieder das Licht der Sonne zu sehen.

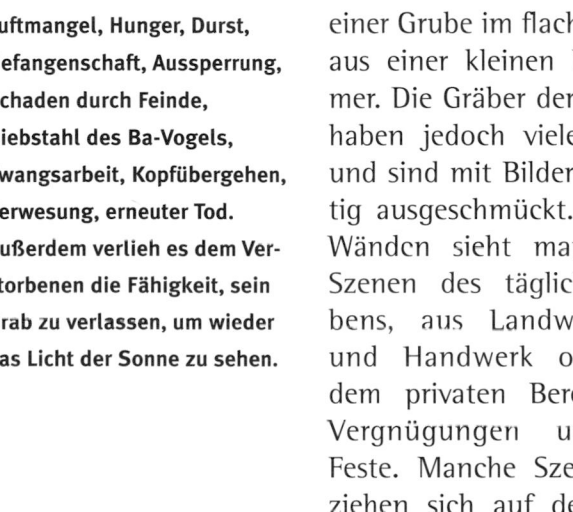

Als einer der Künstler, welche die Gräber im Tal der Könige dekoriert haben, lebte auch Sennedjem in der Arbeitersiedlung Deir el-Medina (s. S. 34). Er legt gerade seine Hand an die westliche Himmelstüre, um einzutreten. Szene im Grab des Sennedjem, Theben, 19. Dynastie.

Vom Leben der Untertanen

Wer gehörte zu einer Familie?

Von den Bildern und Gegenständen der Gräber können wir viel über das tägliche Leben der alten Ägypter erfahren. In der Regel wohnten Vater, Mutter und Kinder gemeinsam in einem Haus. Manchmal wurde noch eine allein stehende Großmutter oder Tante aufgenommen, um diese zu versorgen. Wenn die Jungen erwachsen waren, verließen sie die Eltern und „gründeten ein Haus", oder wie wir sagen würden, gründeten eine Familie. Es gab also Familien, und diese sahen nicht viel anders aus als heutzutage bei uns. Anders als heute waren aber die Aufgaben und Pflichten des Vaters und der Mutter. Der Vater arbeitete außerhalb des Hauses als Bauer, Handwerker oder Beamter, die Mutter blieb im Haus, besorgte die häuslichen Arbeiten und kümmerte sich um die jüngeren Kinder.

Die Ehefrau wurde „Herrin des Hauses" genannt. Daran ist zu erkennen, dass die Frau im Haus ziemlich frei entscheiden konnte. Auch sonst besaß die Frau im alten Ägypten mehr Rechte und Freiheiten als noch vor 150 Jahren die Frauen in Europa. So verfügte sie zum Beispiel frei über ihren Besitz, oder sie konnte zum Gericht gehen und dort selbstständig für ihr Recht streiten. Insgesamt gesehen spielte jedoch der Mann im öffentlichen Leben die größere Rolle.

Die Familie forderte bestimmte Aufgaben und Pflichten, zugleich aber gab sie ihren Mitgliedern Schutz und Geborgenheit. Gegenseitige Liebe und Achtung sollten das Band sein, das Eltern und Kinder zusammenhielt. Hören wir, mit welchen Worten es die Ägypter gesagt haben:

„Wenn du gut herangereift bist und eine Familie gründest, dann sollst du deine Frau lieben, ganz wie es sich gehört."

„Tue ihm alles Gute, denn er ist dein Sohn, er ist ein Spross aus deiner Wurzel, wende dein Herz nie von ihm ab."

„Gib deiner Mutter doppelt so viel Nahrung, wie sie dir gegeben

Statuengruppe aus Gisa, 4./5. Dynastie. Der Zwerg Seneb hatte am Hofe die Aufsicht über die Kleidung des Königs. Außerdem war er ein hochrangiger Priester. Er besaß ein großes Vermögen und konnte sich als Grabstätte in Gisa eine Mastaba (s. S. 28) bauen lassen. Die kurzen Beine des Zwerges Seneb, die nicht bis auf den Boden gereicht hätten, befinden sich auf der Sitzfläche. Der dadurch freie Raum wurde geschickt mit den beiden Kindern ausgefüllt. Senetites, die normal gewachsene Frau des Seneb, hat die Arme liebevoll um ihren Mann gelegt.

HEIRATEN war eine private Angelegenheit, ohne staatliche Kontrolle („Standesamt") und ohne kirchliche Zeremonie. Über das Eigentum von Mann und Frau wurde ein Vertrag abgeschlossen, für den Fall der Scheidung. Als ideal galt ein gutes Verhältnis von Mann und Frau, und so redeten sich diese öfter mit „Bruder" und „Schwester" an. Die Einehe war die Regel, obwohl Nebenfrauen und Geliebte in höheren Kreisen nicht selten waren.

hat. Trage sie, wie sie dich getragen hat."

Die Familie hielten die alten Ägypter für so wichtig und bedeutsam, dass sie sogar Götter-Familien bildeten. In Theben war Amun der Vater, Mut die Mutter und Chons der Sohn, in Memphis finden wir an deren Stelle Ptah, Sachmet und Nefertem. In ganz Ägypten verehrte man in zunehmendem Maße die Familie des Osiris, der Isis und des Horus.

Die Häuser der einfachen Leute

Wie sahen die Häuser aus?

haben im Neuen Reich eine Grundfläche von etwa 25 bis 80 m². Die größeren Häuser, die in der Arbeitersiedlung von Deir el-Medina etwa 70 m² umfassen, gliedern sich in drei Teile. Im vorderen liegt der Haupteingang, der in den Empfangsbereich führt; hier befindet sich auch ein Hausaltar, auf dem die Familie den Göttern opfert. Der mittlere Teil des Hauses hat ein höheres Dach, das

von einer Säule getragen wird; es ist der Hauptwohnraum, der manchmal eine gemauerte Liegefläche enthält. Im hinteren Teil schließen sich die Vorratsräume und die Küche an; von hier führt eine Treppe auf das Dach, welches als zusätzlicher Wohnraum genutzt wird.

Das Baumaterial besteht in der Regel aus luftgetrockneten Nilschlammziegeln, nur für die Sockel der Wände und für die Basis der hölzernen Säule wird Stein verwendet. Die Wände sind verputzt und weiß getüncht. Auf den flachen Dächern leitet eine schräg abgedeckte Öffnung den kühlen Nordwind ins Innere des Hauses.

Das Haus des sehr Reichen liegt inmitten eines Gutshofes, der eine Fläche von mehreren Tausend Quadratmetern einnehmen kann. Um das eigentliche Wohnhaus des hohen Herrn, mit einer Grundfläche von bis zu 400 m², gruppieren sich Höfe, Gärten, Ställe, Arbeitsräume und Wohnungen für die zahlreichen Bediensteten. Der gesamte Besitz wurde von einer Mauer eingefasst.

Rekonstruktion eines großen Anwesens in El-Amarna, 18. Dynastie.

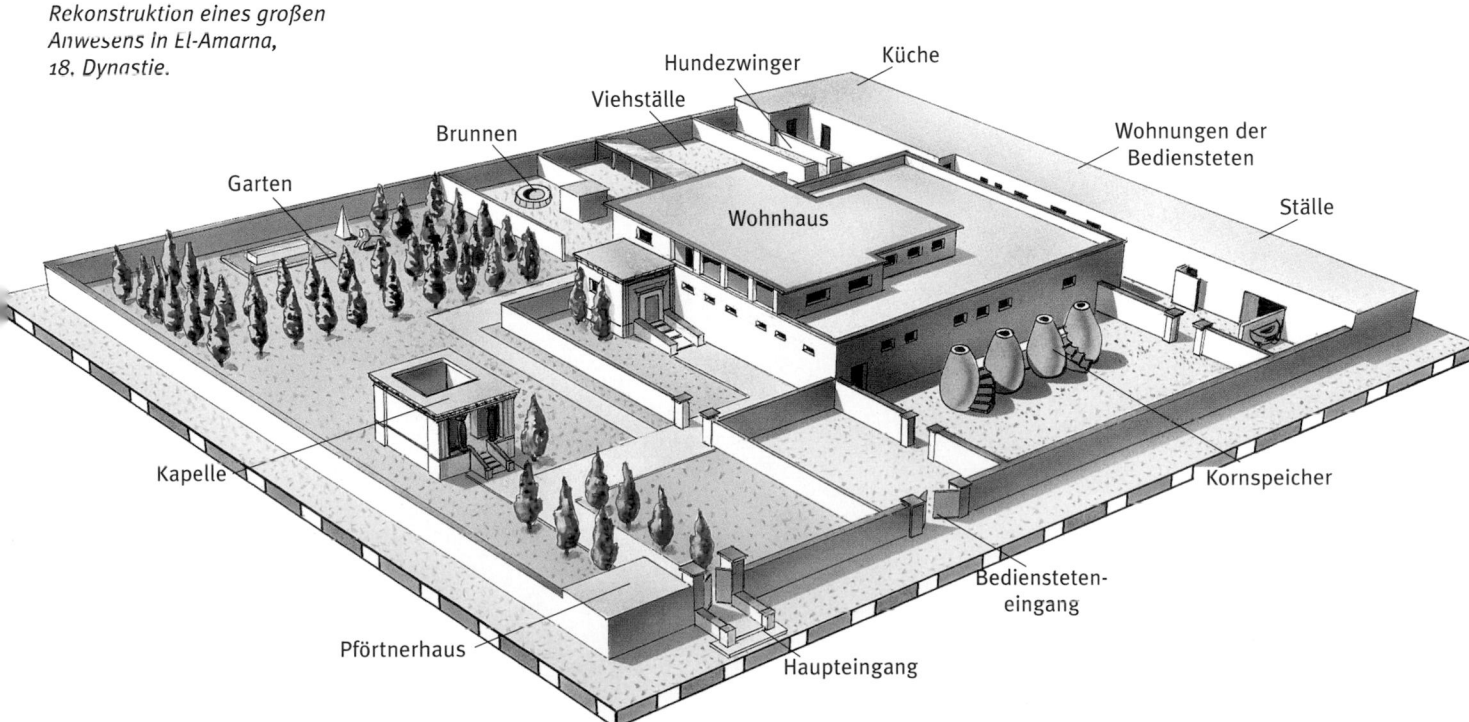

Hundezwinger · Küche · Viehställe · Brunnen · Wohnungen der Bediensteten · Garten · Ställe · Wohnhaus · Kapelle · Kornspeicher · Bediensteteneingang · Pförtnerhaus · Haupteingang

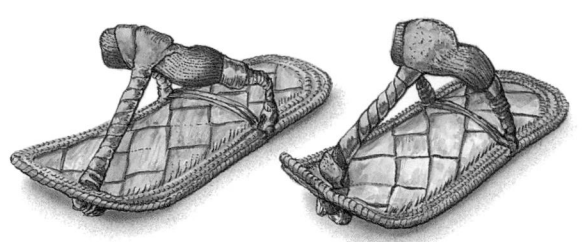

Ein Paar Sandalen aus dem Neuen Reich. Die Sohle wurde aus Palmblatt und Papyrusmarkstreifen geflochten, die Ränder mit einer Wicklung aus Gräsern verstärkt. Die Sandalenriemen steckte man zwischen die ersten beiden Zehen.

Die wichtigsten Nahrungsmittel der Bevölkerung

Wie lebte man zu Hause?

sind Brot und Bier. Hinzu kommen Erbsen, Bohnen, Linsen, Knoblauch, Zwiebeln und Kürbisse, Weintrauben, Datteln, Feigen und Granatäpfel sowie Fisch, Geflügel und das Fleisch von Schweinen, Schafen und Ziegen. Rindfleisch und Wein können sich nur reiche Leute leisten. Die meisten Speisen und Getränke werden auf verschiedene Art zubereitet, was den Speisenplan abwechslungsreich macht. Fleisch wird gekocht, gegrillt, getrocknet oder gepökelt. Von Brot und Bier gibt es zahlreiche Sorten, die sich in den Zutaten unterscheiden. Um eine Speise zu süßen, benutzt man Datteln und Honig.

Zur einfachen Kleidung des Mannes gehört der Schurz, also ein Stück Stoff, das ganz um den Leib gewickelt wird und von der Taille bis zum Knie oder bis zu den Waden hinabreicht. Frauen bevorzugen ein enges Trägerkleid. Als Schuhe dienen Sandalen, die man aus Gräsern, Palmblättern oder auch Leder fertigt. Natürlich gibt es auch modische Veränderungen. Im Neuen Reich bevorzugt man weite, verzierte und plissierte Gewänder, und die Männer nehmen gerne zum Schurz ein Hemd hinzu. Perücken aus Menschenhaar werden von Frauen und Männern getragen, und zwar beim offiziellen Dienst als Beamte und während der Feste.

Feste feiert man zumeist aus reli-

Welche Feste wurden gefeiert?

giösem Anlass. Dazu gehört zum Beispiel in Theben das „Schöne Fest vom Wüstental", das die Lebenden bei ihren verstorbenen Angehörigen feiern. Am Beginn der Erntezeit gibt es ein großes Fest zu Ehren der Renenutet, jener Göttin, welche die Felder und Gärten fruchtbar macht. Doch auch persönliche Gedenktage können der

Diese Figur eine Ente aus Holz, Ebenholz und Elfenbein stammt aus der 18. Dynastie. In ihrem hohlen Körper wurde Salbe aufbewahrt.

Drei festlich geschmückte junge Frauen. (Wandmalerei im Grab des Nacht, Theben, 18. Dynastie.)

Darstellung in einem Grab der 18. Dynastie, Theben. Die Lebenden haben ihre verstorbenen Verwandten besucht, und gemeinsam feiern sie im großen Hof des Grabes ein Fest. Musikantinnen spielen Harfe, Laute, Doppel-Oboe und Leier, Sängerinnen klatschen den Takt. Festlich gekleidete Damen und Herren sitzen auf Stühlen und lassen sich bedienen. Auf dem Kopf tragen sie parfümierte Salbkegel, die in der Hitze langsam schmelzen und einen angenehmen Duft verbreiten. An diesem Festmahl nimmt auch der Verstorbene teil. Ihn sehen wir ganz links im Bild, sitzend, während seine beiden Töchter vor ihm stehen. Eine Inschrift sagt über den Verstorbenen, dass er „in der Halle sitzt und sein Herz erfreut, wie er es zu tun pflegte, als er noch auf Erden war". Der Gast ganz unten rechts hat zu viel gegessen oder getrunken, denn er muss sich übergeben.

RECHENAUFGABE

Die Aufgabe 9 x 14 lösten
die ägyptischen Schüler so:

1´	14	112 + 14 = 126
2	28	
4	56	
8´	112	

Die Strichlein links markieren, welche Zahlen zusammen den Multiplikator 9 ergeben. Die gegenüberliegenden Zahlen werden addiert, und man erhält das Ergebnis.

Anlass zu einem Fest sein, darunter vom Neuen Reich an auch der Geburtstag. Zu einem Fest kommen Verwandte und Freunde, und man zieht die schönsten Kleider an, trägt eine kunstvoll frisierte Perücke, Halskragen, Ohrringe und Armbänder. Die Augen sind mit kräftigen Strichen geschminkt, den Kopf schmücken Lotosblüten sowie der parfümierte Salbkegel, welcher angenehmen Duft verbreitet. Die besten Speisen und Getränke werden gereicht, Musik erklingt und Tänzerinnen treten auf, um die Gäste zu erfreuen.

Ihre erste Erziehung erhielten die Kinder, nicht anders als heute, im Hause der Eltern. Dort lernten sie, wie sie sich verhalten mussten, um ihr Leben gut zu meistern. Dieses Wissen wurde von Generation zu Generation weitergegeben, zumeist mündlich. Doch es gab auch kluge und lebenserfahrene Männer, welche die Regeln für ein richtiges und zugleich glückliches Leben klar formulierten und niederschrieben.

Wie wurden die Kinder erzogen?

Von ihren Eltern lernten die Kinder auch das, was sie später in ihrem Beruf wissen mussten, die Mädchen das meiste von der Mutter, die Jungen das meiste vom Vater. Bei den Mädchen handelte es sich dabei um den Beruf der Mutter und Hausherrin, bei den Jungen um das Handwerk, das schon der Vater ausübte. Wenn aber die Begabung für den höheren Beruf des Schreibers, Beamten oder Priesters vorhanden war, dann wurden die Jungen in die Schule geschickt. Wie und wozu man die Mädchen ausbildete, darüber sagen die historischen Quellen nur wenig. Außerhalb des Hauses gab es für sie vor allem den Beruf der Sängerin und der Tänzerin.

Die Schulen gehörten entweder zum Palast oder zu einem der Tempel. Dort lernten die Jungen vor allem Lesen und Schreiben, Mathematik und Geometrie, aber auch anderes, zum Beispiel aus den Gebieten der Geographie und Religion. Zur Mathematik gehörten Addieren, Subtrahieren, Multiplizieren, Dividieren, Bruchrechnung, Berechnung der Fläche eines Quadrates, Dreiecks oder Kreises; auch waren Gleichungen ersten Grades zu lösen, wie zum

Beispiel: „Eine Menge, wenn man 1/7 von ihr zu ihr hinzufügt, wird 19. Wie groß ist die Menge?".

Schulklassen und den Beruf des Lehrers gab es erst ab dem Mittleren Reich. Von da an berichten uns die Quellen auch von den bekannten Unarten der Schüler. Ein Lehrer sagt: „Ich unterrichte dich den ganzen Tag lang, aber du hörst nicht. Dein Herz ist wie das eines Dummen, was ich dich lehre, das behältst du nicht". Ein anderer Lehrer droht dem Schüler grimmig: „Sei keinen einzigen Tag faul, sonst wird man dich schlagen. Das Ohr eines Jungen sitzt doch auf seinem Rücken, er hört erst, wenn man ihn schlägt".

Für die Kinder blieb aber noch genügend Zeit, um ohne den Zwang der Schule zu spielen. Viele ihrer Spielzeuge sind gefunden worden, und manche Bilder zeigen uns, welche Spiele sie liebten. Einige davon kennen auch wir, andere sind uns fremd.

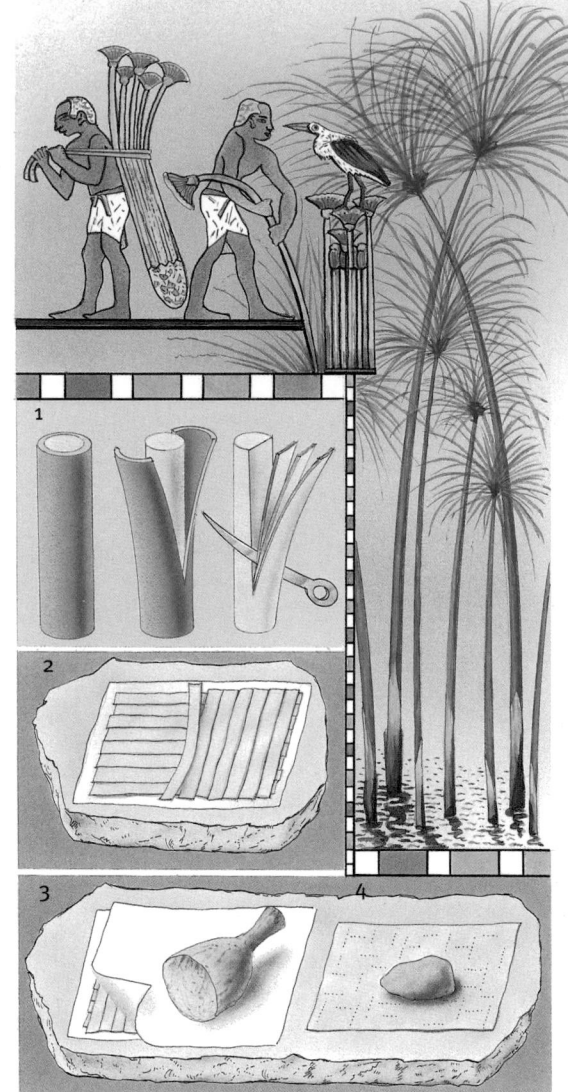

Oben: Papyruspflanzen. Unten: Die Herstellung eines Papyrusblattes, auf dem sich schreiben lässt.

PAPYRUSHERSTELLUNG

Ein Papyrusblatt wurde folgendermaßen hergestellt: Man schälte Stengel der Papyruspflanze, zerteilte sie in ca. 40 cm lange Stücke und schnitt von diesen dünne Längsstreifen ab (1). Die Streifen legte man nebeneinander auf ein Tuch, und zwar so, dass sie sich etwas überlappten; weitere Streifen, quer platziert, ergaben eine zweite Schicht (2). Darüber breitete man erneut ein Tuch und klopfte oder presste die Streifen, bis sie durch den eigenen Saft zusammenklebten (3). Nach dem Trocknen wurde das Blatt mit einem Stück Holz oder einem Stein glattgerieben (4). Wenn man einen langen Text schreiben wollte und deshalb mehrere Blätter aneinander klebte, ließ sich der Papyrus am besten aufgerollt handhaben und lagern; die längste bekannte Papyrusrolle misst über 40 m.

Welche Berufe gab es?

Die meisten Menschen arbeiteten in der Landwirtschaft, aber nicht als freie Bauern mit eigenem Hof. Sie waren vielmehr ziemlich unfrei, standen im Dienst eines Tempels, des Königs oder eines Großgrundbesitzers und durften deren Gebiet nicht verlassen. Ihre Arbeit wurde streng überwacht, und wenn sie einmal zu wenig geleistet hatten, wurden sie bestraft und manchmal auch durchgeprügelt. Eine gewisse Freiheit besaßen die Bauern nur in ihrem privaten Bereich.

Die Landwirtschaft erzielte so hohe Ernteerträge, dass sie mit ihrem Überschuss auch die vielen Menschen versorgen konnte, die nicht auf dem Lande arbeiteten. Diese waren in anderen Berufen beschäftigt, von denen der angesehenste der eines Schreibers und Beamten war. In einer historischen Quelle ist darüber zu lesen:

„Es gibt keinen Beruf ohne einen Vorgesetzten, außer dem Schreiber, der ist der Vorgesetzte".

Die übrigen Berufe entsprechen weitgehend unseren. Es gab Bildhauer, Maler, Musiker, Lehrer, Ärzte, Juweliere, Friseure und Nagelpfleger,

SPIELE

Das Spiel hat die Überschrift „Sag sie (die Zahl)". Anscheinend muss die Anzahl der ausgestreckten Finger erraten werden, kurz bevor die Spieler sie gleichzeitig ausstrecken. Ein solches Fingerspiel ist noch heute als Mora bekannt. (Darstellung in einem Grab des Mittleren Reiches.)

Ein Bauer, der seine Pflicht nicht erfüllt hat, wird geprügelt. (Malerei im Grab des Menena, Theben, 18. Dynastie).

Töpfer, Metallarbeiter, Schreiner, Maurer, Zimmerleute, Gärtner, Weber, Pfeilmacher, Boten, Schuster, Wäscher, Jäger, Fischer, Schitter, Metzger, Soldaten, Bürokräfte, Verwaltungsbeamte, außerdem noch Hilfsarbeiter und andere mehr.

Was auch immer der einzelne Handwerker arbeitete, es wurde von den Beamten genau überprüft und notiert. In den Akten eines Tempels ist folgende Notiz zu lesen: „Abschrift der Mitteilung, ..., die der Schuster Urniptah, der Sohn des Seanchptah, gebracht hat: ‚Lasse Leder vom Rind oder Leder vom Kleinvieh bringen. Du sollst es dem Schuster Urniptah geben und schriftlich festhalten'. – Leder vom Rind wurde diesem Schuster gegeben".

Wie wurden die Löhne bezahlt?

Geld in Form von Münzen benutzte man in Ägypten erst ab dem Ende des 4. Jahrhunderts v. Chr. Vorher zahlte man die Löhne in Getreide aus. Der Sack Getreide hatte eine festgesetzte Größe und konnte in Kupfer- oder Silberstücke umgerechnet werden. So erhielt der Lohnempfänger die Grundnahrung für seine Familie, und für den Überschuss mochte er andere Dinge kaufen. Bezahlt wurde nach Ausbildung. So konnte im Neuen Reich ein Schreiber pro Monat 570 l Getreide verdienen, ein einfacher Arbeiter 420 l und ein Hilfsarbeiter 150 l.

Statue eines sitzenden Schreibers, gefunden in Saqqara; 5. Dynastie. In der rechten Hand steckte ursprünglich eine Schreibbinse. Der Schurz wurde zwischen den Beinen strammgezogen und diente als Schreibunterlage.

Das Erbe der altägyptischen Kultur

Was verdanken wir den alten Ägyptern?

Die Überreste des alten Ägypten lagen Jahrtausende unter dem Sand verborgen, bis die Ägyptologen sie ausgruben und anfingen, das Leben und die Kultur Ägyptens zu rekonstruieren. Was sie vorfanden, war eine der frühen Hochkulturen, wie wir sie zum Beispiel auch aus dem Zweistromland oder dem Industal kennen. Die frühen Hochkulturen waren Erben der Steinzeit, aber sie entwickelten vieles weiter und erfanden Neues dazu, was die Völker der Antike übernahmen und an uns weitergaben. Das erklärt, warum wir manche Wurzeln unserer Kultur bis ins alte Ägypten zurückverfolgen können.

Unsere Schrift stammt letztlich aus dem alten Ägypten. Wir benutzen etliche Wörter, die auf die altägyptische Sprache zurückgehen. Dazu gehören „Oase", „Natron", „Eben-(holz)", „Gummi" oder „Papier".

Auch in der Bibel steht einiges, was aus dem alten Ägypten entlehnt wurde. So lesen wir im Alten Testament in den Sprüchen Salomos: „Jeder glaubt, sein Weg sei richtig, aber Gott prüft die Herzen". Das Prüfen der Herzen erinnert sehr an das ägyptische Totengericht.

Die Ägypter hielten 110 Jahre für das ideale Lebensalter, und im 1. Buch Mose wird gesagt: „Also wohnte Joseph in Ägypten ... und lebte 110 Jahre". Die ägyptischen Quellen für das ideale Lebensalter sind wesentlich älter als die Bibel.

Schließlich verdanken wir auch unseren Kalender den Ägyptern. Diese hatten nämlich das Jahr in 365 Tage eingeteilt, mit zwölf Monaten zu je 30 Tagen und fünf Zusatztagen. Die Schalttage wurden von Julius Caesar und von Papst Gregor XIII. eingeführt. Als erste gliederten die Ägypter den Tag in 24 Stunden, zwölf für den Tag und zwölf für die Nacht. Damit teilen wir unsere Zeit noch heute so ein, wie es die alten Ägypter vor Jahrtausenden erfunden haben.

DIE HERKUNFT UNSERER SCHRIFT

Nach dem Vorbild der ägyptischen Schrift bildeten die Phönizier, über Zwischenstufen, eine alphabetische Schrift, die allerdings nur die Konsonanten schrieb. Erst die Griechen fügten die Vokale hinzu. Das griechische Alphabet wurde von den Römern ihrer eigenen Sprache angepasst und mit dem Latein in Europa verbreitet. So schreiben wir heute lateinische Buchstaben, deren Geschichte aber reicht zurück bis zu den alten Ägyptern.

ZEITTAFEL

Vorgeschichte		2. Zwischenzeit	ab 1700	Assyrer	671-664
Jungsteinzeit	ab 6. Jahrt.	Hyksos	ab 1650	Libyer (Saiten)	664-525
Menes/Aha	um 3000	Ahmose	vor 1500	Perser	525-404
Djoser	um 2700	Amenhotep I.	um 1500	30. Dynastie	380-343
Cheops	um 2600	Hatschepsut	vor 1450	Alexander d.G.	332-323
Teti	um 2300	Thutmosis III.	um 1450	Ptolemäus I.	306-283/2
Pepi II.	um 2200	Echnaton	nach 1350	Kleopatra VII.	51-30
1. Zwischenzeit	ab 2150	Tutanchamun	vor 1300	Augustus	27-14n.Chr.
Mentuhotep II.	um 2000	Ramses II.	1279-1213	Byzantiner	ab 395
Amenemhet I.	vor 1900	Ramses III.	1187-1156	Araber	ab 640
Sesostris III.	vor 1800	3. Zwischenzeit	ab 1050	Türken	ab 1517
Amenemhet III.	um 1800	Nubier	vor 700	Republik	ab 1952

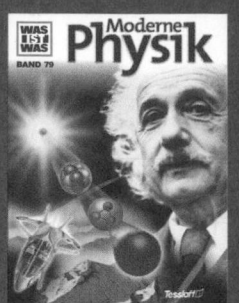
WAS IST WAS BAND 79 — Moderne Physik

WAS IST WAS BAND 80 — Tiere wie sie sehen, hören und fühlen

WAS IST WAS BAND 81 — Die Sieben Weltwunder

WAS IST WAS BAND 82 — Gladiatoren

WAS IST WAS BAND 83 — Höhlen

WAS IST WAS BAND 84 — Mumien

WAS IST WAS BAND 92 — Papageien und Sittiche

WAS IST WAS BAND 93 — Olympia Vom Altertum bis zur Neuzeit

WAS IST WAS BAND 94 — SAMURAI Ritter des Fernen Ostens

WAS IST WAS BAND 95 — Haie und Rochen

WAS IST WAS BAND 96 — Schatzsuche Verschollene und gefundene Schätze

WAS IST WAS BAND 97 — Hexen und Hexenwahn

WAS IST WAS BAND 104 — Wölfe

WAS IST WAS BAND 105 — Weltreligionen

WAS IST WAS BAND 106 — Burgen

WAS IST WAS BAND 107 — Pinguine

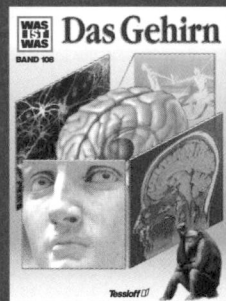
WAS IST WAS BAND 108 — Das Gehirn

WAS IST WAS BAND 109 — Das alte China